Quando nossa fé é provada

Quando nossa fé é provada

MARCELO AGUIAR

MUNDO CRISTÃO

Copyright © 2024 por Marcelo Rodrigues de Aguiar

Os textos bíblicos foram extraídos da *Nova Versão Transformadora* (NVT), da Tyndale House Foundation, salvo indicação específica.

Todos os direitos reservados e protegidos pela Lei 9.610, de 19/02/1998.

É expressamente proibida a reprodução total ou parcial deste livro, por quaisquer meios (eletrônicos, mecânicos, fotográficos, gravação e outros), sem prévia autorização, por escrito, da editora.

Edição
Daniel Faria

Revisão
Ana Luiza Ferreira

Produção e diagramação
Felipe Marques

Colaboração
Raquel Xavier

Capa
Douglas Lucas

CIP-Brasil. Catalogação na publicação
Sindicato Nacional dos Editores de Livros, RJ

A23q

  Aguiar, Marcelo

    Quando nossa fé é provada / Marcelo Aguiar. - 1. ed. - São Paulo : Mundo Cristão, 2024.
    192 p.

    ISBN 978-65-5988-297-7

    1. Espiritualidade. 2. Vida e prática cristã. 3. Fé. I. Título.

24-88106   CDD: 248.4
                                       CDU: 27-584

Gabriela Faray Ferreira Lopes - Bibliotecária - CRB-7/6643

Categoria: Espiritualidade
1ª edição: abril de 2024

Publicado no Brasil com todos os direitos reservados por:

Editora Mundo Cristão
Rua Antônio Carlos Tacconi, 69
São Paulo, SP, Brasil
CEP 04810-020
Telefone: (11) 2127-4147
www.mundocristao.com.br

Sumario

Prefácio	7
Introdução	11
1. Chamados para andar com Deus	13
2. Passando por provas	27
3. Edificando altares	41
4. Uma ordem desconcertante	55
5. Uma resposta de fé	69
6. Três dias silenciosos	83
7. Subindo o Moriá	97
8. "Onde está o cordeiro?"	111
9. Tudo no altar	125
10. "Deus proverá"	137
11. As recompensas da obediência	151
12. A vitória da fé	165
Conclusão	179
Notas	181
Sobre o autor	183

Prefácio

O sofrimento faz parte da vida humana. Com frequência nos vemos em situações que parecem ir além dos nossos limites. É por isso que a passagem bíblica de Gênesis 22, sobre o sacrifício de Isaque, é tão importante para nós.

Deus diz a Abraão: "Dê-me seu filho, seu único filho". Em Isaque, filho de Abraão, estão enraizadas todas as promessas de Deus. Isaque é o filho da promessa e nele repousam todas as bênçãos e todo o favor do Senhor. Então, quando Deus pede a Abraão: "Dê-me o seu Isaque", isso significa: "Dê-me tudo o que é precioso para você! Entregue todo o seu futuro a mim!".

Marcelo Aguiar é pastor, psicólogo e escritor de vários livros. Nesta obra, de forma graciosa e profunda, ele dialoga com o texto de Genesis 22 e nos faz perceber que também nós, em meio às provas de nossa vida, somos convidados por Deus a nos entregar a ele por completo.

Eu e Daniel, meu esposo, fomos convidados por Deus a lhe entregar todo o nosso futuro, quando, em 2021, descobrimos que Daniel estava com leucemia. No processo do tratamento e transplante de medula vivemos situações que ultrapassavam nossas forças e que só se tornaram possíveis porque a mão do Pai nos sustentou. A entrega em meio à incerteza do que aconteceria, fosse cura ou morte, representou uma das experiências mais profundas com Deus que já tínhamos vivenciado até então. Ter a certeza do amor e da bondade de Deus durante circunstâncias de incertezas é algo que nos levou a conhecer o Pai de maneira sem igual.

Por isso, ler este livro e prefaciá-lo é, para mim, rememorar como Deus nos conduziu ao nosso "monte Moriá". Fui muito edificada com a maneira como Marcelo Aguiar analisa o relato de Genesis 22 e nos encoraja a fazer a conexão do texto bíblico com experiências de nossa própria vida.

Em *Quando nossa fé é provada*, o autor descreve como Abraão atendeu ao chamado divino e num passo de fé deixou para trás sua terra natal. Ao longo de sua caminhada espiritual, sua fé precisaria se tornar maior e mais sólida. Por fim, quando teve de enfrentar sua maior prova de fé, o sacrifício de Isaque, passou no teste com todos os méritos. Todos os chamados por Deus, assim como Abraão o foi, terão de enfrentar provas.

Acredito que a leitura deste livro poderá ajudar você a perceber tremendamente como Deus quer promover seu crescimento espiritual a partir de uma experiência com ele diante das adversidades. Leia o livro e fique atento ao que Deus quer lhe falar. Faça anotações, converse em oração com o Pai durante a leitura e compartilhe com outros irmãos o que Deus está fazendo em sua vida.

Espero que, como eu, você também possa ser edificado pelas páginas a seguir!

ILAENE SCHULER
Missionária SEPAL, coordenadora do
ministério Igrejas Discipuladoras

Introdução

Abraão foi um grande homem que se tornou ancestral de judeus, árabes e, espiritualmente, de todos os crentes. Ele viveu uma vida admirável. A etimologia do nome que recebeu ao nascer, Abrão, não é muito clara. A maior parte dos linguistas acredita que signifique "Pai exaltado". Entretanto, com o estabelecimento do pacto divino e o recebimento da promessa, seu nome foi mudado para Abraão, que significa "Pai de multidões".

Quando lemos o capítulo 22 de Gênesis, encontramos o episódio mais notável da vida de Abraão. Quarenta anos já haviam passado desde a conversão daquele ilustre personagem bíblico, e poderíamos imaginar que ele houvesse atingido o ponto máximo de seu desenvolvimento espiritual. No entanto, é quando chegamos a esse texto que nos deparamos com o momento em que o patriarca viu coroada sua jornada de fé.

Embora a leitura completa de Gênesis 22 nos deixe admirados e comovidos, durante esse processo podemos ficar confusos. Muitos, ao terem contato pela primeira vez com a narrativa do sacrifício de Isaque, ficam escandalizados com Deus (por ordenar) e com Abraão (por obedecer).

A história do holocausto de Moriá é capaz de levantar muitas indagações. Por que Deus disse a Abraão que sacrificasse Isaque? Mesmo que se tratasse apenas de um teste, aquela ordem não se mostrava absurda, e até mesmo cruel? E, ainda que viesse realmente a ser um teste, que necessidade havia daquilo? Deus é imprevisível? Ele é dado a caprichos? Se eu caminhar com ele corro o risco de que faça algo doloroso comigo?

Por que Abraão se dispôs a imolar o próprio filho? Se cumprisse a determinação divina, ele não estaria cometendo assassinato, e, pior ainda, filicídio? O que havia no coração daquele homem? Uma fé inabalável? Um fanatismo indiferente? Será que o patriarca havia cometido algum erro e tinha de ser corrigido? Será que ele precisava aprender uma lição que não poderia ser ensinada de outra forma?

Por que a história de Abraão e seu sacrifício ficou registrada na Bíblia? O que ela tem a ver conosco hoje? Há alguma mensagem profética escondida no texto? O que esse episódio tem a dizer àqueles que parecem estar enfrentando situações absurdas? Como lidar com o silêncio de Deus? Ainda existe lugar para sacrifícios hoje em dia? Que tipo de sacrifícios? De que modo essa narrativa bíblica pode ajudar os que sofrem perdas, estão infelizes ou passam por tribulações? Deus quer que façamos renúncias? A que precisamos renunciar?

Nas páginas a seguir buscaremos respostas para essas e outras perguntas. Temos ouvido dizer que Deus não coloca sobre nós pesos maiores do que podemos carregar. Contudo, quando lemos a história da Abraão, quase duvidamos dessa verdade. Com que grande fardo aquele homem se deparou! E, às vezes, nós também nos vemos em situações que parecem ir além de nossos limites. É por isso que a passagem sobre o sacrifício de Isaque é tão importante para nós.

Comentando as narrativas bíblicas, o Novo Testamento declara que "essas coisas foram registradas há muito tempo para nos ensinar, e as Escrituras nos dão paciência e ânimo para mantermos a esperança" (Rm 15.4). Portanto, ao nos debruçarmos sobre a história de Abraão e seu sacrifício, não estaremos apenas obtendo informações que visem satisfazer nossa curiosidade. Na verdade, estaremos indo muito além disso. Aprenderemos lições que nos ajudarão a superar nossas próprias adversidades. Encontraremos direção e força para enfrentar, vitoriosamente, aquelas horas em que nossa fé é provada.

1
Chamados para andar com Deus

> O Senhor tinha dito a Abrão: "Deixe sua terra natal, seus parentes e a família de seu pai e vá à terra que eu lhe mostrarei. Farei de você uma grande nação, o abençoarei e o tornarei famoso, e você será uma bênção para outros. Abençoarei os que o abençoarem e amaldiçoarei os que o amaldiçoarem. Por meio de você, todas as famílias da terra serão abençoadas". Então Abrão partiu, como o Senhor havia instruído.
>
> Gênesis 12.1-4

Toda história tem um começo, e a história de Abraão começa com um chamado. Isso aconteceu no tempo em que ele vivia na Mesopotâmia, quando as pessoas ainda o conheciam pelo nome de Abrão. Ele era semita, filho de Terá e irmão de Naor e Harã. Vivia com seus parentes e sua esposa, Sarai, na cidade de Ur dos caldeus, uma das mais prósperas do mundo antigo. Banhada pelo rio Eufrates e cercada de plantações, sua riqueza provinha tanto da agricultura quanto do comércio. Quem caminhasse por suas ruas movimentadas poderia contemplar as casas luxuosas, as torres imponentes, os palácios do governo, os muros, as praças e os jardins.

A capital dos sumérios era uma verdadeira metrópole do segundo milênio antes de Cristo. Expedições arqueológicas realizadas no século passado trouxeram à luz as ruínas da cidade de Ur e, com elas, informações sobre aquela antiga civilização. Foram encontrados os restos de grandes depósitos, de centros de ensino e de prédios administrativos. Também foram localizados templos dedicados a Nana, o deus da lua, e a Ningal, sua deusa consorte. Outros santuários eram consagrados às demais divindades do panteão caldeu.

Foi nesse ambiente sofisticado e cosmopolita, marcado pelo politeísmo, que o célebre patriarca teve seu primeiro encontro com o Deus todo-poderoso (Gn 15.7; Ne 9.7). O Senhor tirou Abraão daquele berço de idolatria e se revelou a ele como o único Deus verdadeiro. Ele lhe disse que saísse de sua terra natal a fim de seguir para um lugar que ele haveria de lhe mostrar. Milhares de anos depois, Estêvão lembraria ao povo judeu: "O Deus glorioso apareceu a nosso antepassado Abraão na Mesopotâmia, antes de ele se estabelecer em Harã, e lhe disse: 'Deixe sua terra natal e seus parentes e vá para a terra que eu lhe mostrarei'" (At 7.2-3).

A Bíblia afirma que, ao obedecer à ordem do Senhor, Abraão se tornou "o pai daqueles que têm fé" (Rm 4.11). E essa declaração possui, para nós, um significado especial. Embora cada pessoa tenha uma caminhada de fé única, Abraão abriu uma trilha de passagem para o restante de nós. Quando atendeu ao chamado divino, o patriarca se tornou o primeiro de uma longa lista. Ele se fez nosso ancestral espiritual. De fato, "os verdadeiros filhos de Abraão são aqueles que creem" (Gl 3.7), por isso todos os crentes são descendentes espirituais de Abraão e participam da mesma bênção que ele alcançou, pela fé.

Isso significa que a história de Abraão é, até certo ponto, a história de todos nós. Sua jornada de fé nos fala sobre nossa própria jornada. Somos a continuidade de um movimento que Deus iniciou por meio daquele homem. Assim como Abraão, todos estivemos, em determinado momento, distantes do Senhor. Ele, porém, nos alcançou com a sua graça e nos chamou com o seu amor. E, ao atender ao chamado divino, também nos tornamos peregrinos espirituais. Constituímo-nos herdeiros das promessas. Fomos feitos amigos e amigas de Deus.

Como a história de Abraão, a nossa também começa com um chamado. Fomos convocados para andar com Deus. Esse é o nosso ponto de partida, o início da nossa peregrinação. E deveremos ter isso em mente se quisermos vencer as provas que encontraremos ao longo do caminho. Precisaremos ter a noção exata da natureza da vocação que recebemos e de como responder a ela. Afinal, é nisso que consiste o cristianismo. É disso que é feita a nossa jornada de fé.

O que precisamos saber sobre o chamado de Deus?

O chamado de Deus revela seu amor por nós

Se existe algo que pode ser dito com certeza a respeito do chamado recebido por Abraão é que ele foi imerecido. Foi fruto da graça, da misericórdia e do amor de Deus. Não há nenhum indício de que o patriarca tenha buscado o Criador antes de sua vocação. Pelo contrário, ao relembrar o episódio diante dos israelitas, o Senhor afirmou: "Muito tempo atrás, seus antepassados, incluindo Terá, pai de Abraão e de Naor, viviam além do rio Eufrates e serviam outros deuses. Mas eu tirei seu antepassado Abraão da terra além do Eufrates e o conduzi à terra de Canaã" (Js 24.2-3).

Como seus parentes e vizinhos, Abraão vivia cercado por uma atmosfera de idolatria. Mas Deus o resgatou da superstição e do erro como manifestação de seu favor. O chamado feito ao patriarca para que andasse na presença do Senhor foi uma expressão da bondade divina, uma constante na Bíblia Sagrada. Nas páginas das Escrituras, é sempre Deus quem dá o primeiro passo para se comunicar com os seres humanos. E não o faz movido por qualidades que existam neles, mas pelo fato de que ele é amor.

Deus falou com Abraão quando ele fazia parte de uma família pagã. Deus chamou Moisés quando ele se escondia no deserto. Deus escolheu Davi quando ele não passava de um pastor de ovelhas. Deus escolheu Ester quando ela não era mais que uma órfã. Deus convocou os apóstolos quando eles eram simples pescadores. E Deus vocacionou Paulo quando ele era um perseguidor da igreja. Diante de tantos exemplos, podemos afirmar que é o Senhor quem toma a iniciativa de se dirigir a nós. E também podemos asseverar que ele o faz levado, exclusivamente, pelo amor que tem por nós.

Certo chinês havia se convertido ao cristianismo e desejava se batizar. Por essa razão, tinha comparecido diante da igreja, a fim de dar sua profissão de fé. Quando estava sendo examinado pelos membros da congregação, um deles lhe perguntou: "Meu irmão, como foi que você encontrou Jesus?". O chinês, de pronto, respondeu: "Eu não encontrei Jesus. Foi ele que me encontrou".

Isso faz bastante sentido. Não fomos nós que encontramos Cristo, foi ele que nos encontrou. Afinal, os perdidos éramos nós, e não ele.

O Senhor toma a iniciativa de buscar as almas perdidas, de lhes oferecer redenção e de chamá-las para andar com ele. Fomos alcançados por um Deus amoroso, "cujo desejo é que todos sejam salvos e conheçam a verdade" (1Tm 2.4). Isso é maravilhoso. Nossa vocação é uma expressão do amor divino. Ela é uma revelação da graça de Deus.

O chamado de Deus manifesta seu propósito para nós

Uma segunda verdade que pode ser dita a respeito do chamado divino é que ele está relacionado com o plano que Deus tem para cada um de nós. Isso ficou claro na maneira como o Senhor se dirigiu àquele que se tornaria conhecido como o "Pai da fé". Deus chamou Abraão porque teve compaixão dele, é verdade, mas isso é apenas parte da história. O Deus que amou aquele homem amou, de igual forma, toda a humanidade. Por isso, a manifestação de Deus a Abraão foi tanto uma expressão do desejo do Senhor de abençoá-lo quanto de sua vontade de abençoar outros por meio dele. O Senhor disse a Abraão: "Deixe sua terra natal, seus parentes e a família de seu pai e vá à terra que eu lhe mostrarei. Farei de você uma grande nação, o abençoarei e o tornarei famoso". E prosseguiu: "Você será uma bênção para outros [...] por meio de você, todas as famílias da terra serão abençoadas" (Gn 12.1-3).

A vontade de Deus era, portanto, abençoar Abraão e, igualmente, fazer dele um instrumento de sua bênção. Por muitos séculos a humanidade vinha se mostrando violenta e corrupta. Ela se havia desviado da luz da verdade e mergulhado nas trevas do pecado. O Senhor, no entanto, desejava resgatar aqueles que ele havia criado a sua imagem e semelhança, e para tanto um Salvador precisaria ser enviado. E isso teria de acontecer no lugar e no momento certos.

Então, o Senhor traçou um plano. Por meio de Abraão, ele separaria um povo para que, nele, a luz da verdade se conservasse acesa. Esse povo (que seria chamado de Israel) viria a ser uma nação sacerdotal. Por meio de seus exemplos e de seus ensinos, deveria tornar-se uma inspiração para o mundo. E então, quando houvesse chegado a plenitude dos tempos, dessa nação o Senhor levantaria o Redentor, aquele que abençoaria todas as nações.

Podemos ver que a chamada de Abraão e a própria constituição de Israel serviam a um propósito. Deus queria que todas as famílias da terra fossem abençoadas. Em seu grande plano para redimir o mundo, ele edificou uma nação fundada na fé de um homem. Essa nação seria "um reino de sacerdotes e uma nação santa" (Êx 19.6), responsável por conduzir os povos a um relacionamento com o Criador.

É possível que os filhos de Israel nem sempre tenham enxergado o alcance universal de sua vocação. Talvez muitos tenham imaginado que o Senhor simplesmente os houvesse escolhido, entregando os demais povos à própria sorte. Mas esse nunca foi o plano de Deus para os israelitas, e certamente não é o propósito divino para nós. Escrevendo à igreja, o apóstolo Pedro declarou: "Vocês [...] são povo escolhido, reino de sacerdotes, nação santa, propriedade exclusiva de Deus. Assim, vocês podem mostrar às pessoas como é admirável aquele que os chamou das trevas para sua maravilhosa luz" (1Pe 2.9).

Fomos chamados para ser abençoados, e para também abençoar. Por meio de nossa vida, o Senhor está falando às pessoas. Ele está lhes revelando sua justiça, seu poder e seu amor. E isso está relacionado com muitas das provas pelas quais passamos. É assim que entendemos que cada adversidade tem uma razão, e que cada tribulação serve a um objetivo. Nós somos os púlpitos a partir dos quais o Criador está pregando seus sermões. Nós somos os livros que ele está escrevendo, as cartas que ele está enviando. O que nos sucede não acontece apenas por nossa causa, mas também por causa daqueles que o Senhor deseja abençoar por nosso intermédio.

O chamado de Deus resulta em nossa transformação

Se decidirmos atender ao chamado feito pelo Senhor, poderemos estar certos de uma coisa: nunca mais seremos as mesmas pessoas. Deus nos ama demais para nos deixar do jeito que estamos. À medida que avançamos em nossa jornada de fé, nosso Pai celestial nos transforma. Ele nos molda como o oleiro faz com o barro. Ele nos dá um novo coração. Ele faz de nós novas criaturas. Ele corrige nossos passos. Ele forja nosso caráter. Ter fé é caminhar com Deus e ser transformado ao longo do processo.

Quando convocou Abraão para estar ao seu lado, Deus tinha em mente o crescimento espiritual do patriarca. Esse alvo jamais foi esquecido. É por isso que em Gênesis 17.1 lemos que, anos mais tarde, "o Senhor lhe apareceu e disse: 'Eu sou o Deus Todo-poderoso. Seja fiel a mim e tenha uma vida íntegra'" (ou, como em outras traduções, "Ande na minha presença e seja perfeito").

Quando lemos esse versículo pela primeira vez, talvez imaginemos que o Senhor está dando duas ordens a Abraão: ser fiel a ele e ter uma vida íntegra. Mas, na verdade, estamos diante de uma ordem e de uma promessa. Se Abraão fosse fiel a Deus, teria uma vida íntegra. Se ele andasse na presença do Senhor, seria perfeito.

Quando Abraão atendeu ao chamado divino e deixou sua terra, deu um importante passo de fé. Contudo, foi apenas o primeiro passo. Sua fé precisaria se tornar maior e mais sólida, e foi um processo que exigiu tempo. Ao longo de sua caminhada espiritual, o patriarca não acertou todas as vezes. Houve momentos em que sua confiança foi abalada. Nesses instantes Abraão hesitou, vacilou, sentiu medo, tentou resolver as coisas a seu modo e cometeu erros que deixariam qualquer um corado de vergonha. Porém, ele nunca deixou de crescer espiritualmente. E quando, por fim, teve de enfrentar sua maior prova de fé (o sacrifício de Isaque), passou no teste com todos os méritos.

A trajetória de Abraão nos traz consolo e nos renova as esperanças. Afinal, se até o "Pai da fé" teve instantes em que duvidou, então não somos um caso perdido! Com o patriarca aprendemos esta importante lição: *decidir crer* é algo que fazemos de uma vez por todas, mas *aprender a crer* é algo que leva tempo. Como escreveu Alan Redpath, "A conversão de uma alma é milagre de um momento, mas a construção de um santo é tarefa de uma vida inteira". A boa notícia é que Deus estará sempre a nosso lado. Ele não desistiu de Abraão, e tampouco desistirá de nós. E assim sabemos que, se permanecermos ao lado do Senhor, dia a dia nos tornaremos cada vez mais parecidos com ele. É pela ação do Espírito Santo que podemos ter uma vida íntegra. É pela graça de Jesus que somos aperfeiçoados.

O Altíssimo se propõe andar conosco "até que todos alcancemos a unidade que a fé e o conhecimento do Filho de Deus produzem e amadureçamos, chegando à completa medida da estatura de Cristo" (Ef 4.3). A vontade do Pai é que nos tornemos gradualmente mais semelhantes a seu Filho (Rm 8.29). Seu desejo é que Cristo seja plenamente desenvolvido em nós (Gl 4.19). Essa é a direção para a qual ele está nos conduzindo.

Como podemos nos tornar homens e mulheres semelhantes a Jesus? A resposta é: permanecendo ao seu lado! "Eu sou a videira; vocês são os ramos", disse o Mestre. "Quem permanece em mim, e eu nele, produz muito fruto. Pois, sem mim, vocês não podem fazer coisa alguma" (Jo 15.5). À medida que caminhamos com o Salvador, vamos sendo transformados. Deus nos enche com o seu Espírito e nos molda segundo o seu querer. A santidade não é tanto o que produzimos, mas o que "pegamos". Ela é contagiante. É transferida do coração de Deus para o nosso. É fruto de nossa caminhada com o Senhor.

Perguntaram um dia a um pedaço de argila que exalava um suave odor:

— De onde te vem esse perfume, se és apenas lama?

Ao que ela respondeu, humildemente:

— Morei muito tempo perto de uma flor.

Myrtes Mathias[1]

Na vida cristã tudo é pela graça, do começo ao fim. Por isso jamais poderemos nos gloriar de nós mesmos. Em contrapartida, temos a promessa de que, se andarmos na presença do Senhor, seremos aperfeiçoados. Aqueles que estiverem ao nosso redor verão a glória de Deus refletida, como um espelho, em nossa vida (2Pe 3.18). E exalaremos, diante de todos, o bom perfume de Cristo (2Co 2.14).

O chamado de Deus deve ser respondido com fé

Será que Abraão não sentiu um "frio na barriga" quando se despediu da vida confortável que tinha em Ur dos caldeus?

A verdade é que ele estava diante de uma grande mudança. Sua família precisaria se adaptar a uma vida nômade. Ele e os que estivessem ao seu lado teriam de partir rumo ao desconhecido. Dali por diante, tudo seria diferente. Porém, quer tenha receado quer não, Abraão seguiu adiante, e foi isso o que importou. Porque a fé não é medida por nossos sentimentos, e sim por nossas atitudes.

As Escrituras dizem que "a fé mostra a realidade daquilo que esperamos; ela nos dá convicção de coisas que não vemos" (Hb 11.1). Podemos afirmar que ter fé é confiar a ponto de obedecer. Em outras palavras, a obediência é a face visível da fé. Ao fazer o que Deus lhe ordenara, Abraão mostrou que confiava realmente nele. A incredulidade gera o pecado, que por sua vez dá à luz o sofrimento. Mas a fé é mãe da obediência e avó da felicidade.

Munido de toda a coragem que conseguiu reunir, o patriarca cumpriu a ordem que tinha recebido. "Pela fé, Abraão obedeceu quando foi chamado para ir à outra terra que ele receberia como herança. Ele partiu sem saber para onde ia" (Hb 11.8). Que grande aventura! Abraão saiu sem saber para onde ia... mas sabendo *com quem* ia! No fim das contas, isso é tudo o que importa. O melhor lugar para estarmos é aquele onde Deus quer que estejamos. Ali encontramos segurança e paz.

Para criaturas sedentas de controle como nós, andar pela fé pode se tornar um grande desafio. Talvez preferíssemos que o Senhor nos informasse sobre todos os detalhes da jornada antes de nos pôr a caminho. Se pudéssemos, pediríamos ao Criador que nos desse um mapa, uma bússola e um GPS! Assim saberíamos, exatamente, pelo que teríamos de passar. Mas será que isso tornaria nossa viagem mais segura? Será que eliminaria nossa ansiedade e nos tranquilizaria a alma? É provável que não. E, com certeza, não contribuiria para o desenvolvimento da nossa fé.

> Talvez o mais difícil para um servo de Deus seja não receber do Senhor os detalhes do seu plano e ter de caminhar passo a passo pela fé. Pois o plano, a estratégia e o poder são de Deus, e a glória da vitória também é.
>
> Paschoal Piragine Junior[2]

"Fé é pisar o primeiro degrau mesmo que você não veja a escada inteira", disse Martin Luther King Jr. Foi isso o que Abraão fez. Acompanhado de seus familiares, ele deixou o sul da Mesopotâmia e se estabeleceu na região de Harã (Gn 11.31). Quando seu pai, Terá, morreu em Harã, ele retomou a marcha, chegando por fim a Canaã (Gn 12.4). Agora Abraão estava no território que seria dado a seus descendentes. Agora ele pisava no palco em que os mais extraordinários dramas da humanidade se desenrolariam.

O que aprendemos com a experiência de Abraão? Que grandes recompensas nos aguardam se atendermos à convocação do Senhor sem conhecer todos os detalhes. Isso é algo que Deus deseja que cada um de nós vivencie. Se conhecêssemos tudo sobre nosso destino, não precisaríamos de fé, e consequentemente não conquistaríamos os prêmios que a acompanham. A confiança obediente é a única resposta aceitável ao chamamento celestial. Ela honra o nome do Senhor e nos coloca no rumo certo. "Porque vivemos por fé, e não pelo que vemos" (2Co 5.7).

Estamos dispostos a atender ao chamado divino com fé, a segurar na mão que nosso Pai nos estende e caminhar com ele?

***

O mesmo Deus que se manifestou a Abraão tem falado a nossa alma. Ele nos ama e traçou grandes planos para nossa existência. Deseja se revelar a nós, abençoar nossos passos, fazer-nos instrumentos de sua bondade e transformar-nos em pessoas melhores. A princípio, a ideia de viver pela fé pode parecer intimidante. Entretanto, é um dos maiores privilégios. Não existe honra tão sublime quanto andar na presença do Senhor, e nenhuma experiência se compara à de trilhar com ele a vereda que nos pôs adiante.

Por ter respondido ao chamado divino, Abraão se tornou conhecido como "amigo de Deus" (Tg 2.23). E isso não foi tudo. Ele encontrou uma razão para sua vida e deixou pegadas que são seguidas até hoje. Assim como fez com o patriarca, o Senhor nos convida a caminhar com ele. Se dermos ouvidos a sua voz, estaremos iniciando uma odisseia de fé. Sairemos sem conhecer todos os detalhes do caminho, mas sabendo com quem estamos indo. E, portanto, não teremos o que temer.

Conta-se que, certa vez, uma menina estava a bordo de um trem. Era sua primeira viagem, e ela, animada, não queria perder nenhum detalhe. Com o rosto colado ao vidro da janela, ia descrevendo para a mãe, sentada a seu lado, tudo que via e as sensações que isso lhe causava. O trem seguia velozmente por uma paisagem recortada por vales e montanhas.

Às vezes, a garota via aproximar-se um rio ou um precipício e, assustada, perguntava-se: "Como vamos passar por isso?". E então, no último segundo, aparecia uma ponte, o obstáculo era transposto, e a composição seguia seu caminho. Depois de deparar-se com várias situações semelhantes, a menina finalmente relaxou. Afastou-se da janela e recostou-se na poltrona. Então, voltando-se para a mãe, suspirou aliviada e lhe disse: "Não precisamos ter medo, mãe. Alguém foi na frente e colocou pontes em todos os lugares".

Aqueles que atendem ao chamado divino sabem que o Senhor foi à frente deles e tomou as providências necessárias para que chegassem ao destino final. Tenhamos isso sempre em mente: Deus colocou pontes em todos os lugares! Talvez passemos por grandes provas ou nos deparemos com obstáculos aparentemente intransponíveis, mas estaremos no caminho certo se estivermos dentro da vontade de Deus. Se andarmos pela fé, seremos descendentes espirituais de Abraão. E, como ele, alcançaremos a vitória, em nome de Jesus.

2
Passando por provas

> Portanto, alegrem-se com isso, ainda que agora,
> por algum tempo, vocês precisem suportar muitas
> provações. Elas mostrarão que sua fé é autêntica.
> Como o fogo prova e purifica o ouro, assim sua fé
> está sendo experimentada, e ela é muito mais preciosa
> que o simples ouro. Isso resultará em louvor, glória e
> honra no dia em que Jesus Cristo for revelado.
>
> 1Pedro 1.6-7

Poderíamos supor que, uma vez tendo obedecido à voz de Deus, seríamos poupados de qualquer problema. Contudo, não é o que acontece. Depois de ter recebido sonhos admiráveis, José foi vendido como escravo e colocado numa prisão. Tão logo voltou ao Egito, Moisés se viu diante de um faraó de coração endurecido. Após ter sido ungido, Davi precisou esconder-se no deserto por vários anos. Todos os heróis da Bíblia descobriram, por experiência própria, que as chamadas são acompanhadas de provas.

Com o "amigo de Deus" não foi diferente. As Escrituras nos dizem que, obedientemente, "Abrão partiu, como o Senhor havia instruído, e Ló foi com ele. Abrão tinha 75 anos quando saiu de Harã. Tomou sua mulher, Sarai, seu sobrinho Ló e todos os seus bens, os rebanhos e os servos que havia agregado à sua casa em Harã, e seguiu para a terra de Canaã" (Gn 12.4-5). Aquele servo leal fez o que Deus lhe mandou.

Porém, tão logo chegou à terra prometida, Abraão se viu diante de vários testes. Em algumas dessas provas, o patriarca se saiu bem. Em outras, nem tanto.

Prova número um: Uma grande fome se abateu sobre a região de Canaã. Em vez de confiar no Senhor e permanecer onde estava, Abraão seguiu para o Egito. Ali, por medo de ser morto, disse que sua esposa, Sarai (que mais tarde teria o nome alterado para Sara), era sua irmã. Só por causa de uma intervenção divina a família foi poupada de uma tragédia. Resultado: Reprovado no teste (Gn 12).

Prova número dois: Os rebanhos de Abraão e de Ló eram muito numerosos, o que os levou a se separarem. Movido pela ganância, Ló seguiu para as vizinhanças de Sodoma e Gomorra. Abraão, ao contrário, agiu com generosidade e prudência. Diante disso, Deus tornou a assegurar-lhe a posse de todo o território. Resultado: Aprovado no teste (Gn 13).

Prova número três: Abraão soube que seu sobrinho havia sido levado cativo por exércitos estrangeiros. Ele organizou uma tropa, perseguiu os invasores e libertou Ló. Ao retornar vitorioso, o patriarca recusou-se a ficar com as riquezas de Sodoma e entregou seus dízimos a Melquisedeque. Resultado: Aprovado mais uma vez (Gn 14).

Prova número quatro: Achando que o cumprimento da promessa de receberem um herdeiro estava demorando demais, Sara sugeriu a Abraão que os dois tivessem um filho por meio de uma escrava. O patriarca deu ouvidos à esposa e, por meio de Hagar, gerou Ismael. O Senhor, porém, não aceitou aquele arranjo e disse que a promessa se cumpriria por meio de Sara. Resultado: Reprovado novamente (Gn 16).

Prova número cinco: Deus apareceu ao patriarca e reafirmou suas promessas. Disse que ele e sua esposa teriam o nome alterado, estabeleceu a circuncisão como sinal da aliança e garantiu que Sara teria um filho. Abraão creu no Senhor e, além disso, intercedeu pelos moradores de Sodoma e Gomorra. Resultado: Aprovado outra vez (Gn 17—18).

Prova número seis: Abraão deslocou suas tendas a fim de habitar na região do Neguebe, onde, por medo de ser morto, tornou a negar que Sara fosse sua mulher. Mais uma vez, Deus precisou intervir para que a família pudesse ser preservada e a promessa tivesse condições de cumprir-se. Resultado: Reprovado no teste (Gn 20).

Prova número sete: Depois que Abraão e Sara receberam o filho tão sonhado, o Senhor ordenou que Isaque fosse sacrificado sobre um altar, em Moriá. Sem hesitar, Abraão conduziu o filho até a montanha. Ele estava prestes a cumprir a ordem quando, no último segundo, o anjo do Senhor clamou desde o céu e lhe disse que aquilo não seria necessário. Resultado: Aprovado com louvor (Gn 22).

Diante desses fatos, alguém poderia perguntar: Por que Deus submeteu Abraão a tantos testes? Por que lhe disse que saísse de sua cidade? Por que lhe prometeu uma terra que outros povos já ocupavam? Por que permitiu que uma seca assolasse Canaã? Por que deixou que ele e Sara esperassem tanto tempo para se tornarem pais? Por que lhe ordenou que sacrificasse seu filho?

Essas são inquirições válidas. Na verdade, costumamos fazer perguntas semelhantes quando somos submetidos a provas. Se uma pessoa contrair uma enfermidade, perder o emprego, tiver o relacionamento abalado, passar por crises na família, for vítima de perseguições ou enfrentar a morte de alguém querido, provavelmente se voltará para os céus e indagará: *Por quê?*

A verdade é que as provas fazem parte da vida cristã. Dirigindo-se a Deus, o profeta Jeremias falou: "Ó Senhor dos Exércitos, tu provas o justo e examinas pensamentos e emoções" (Jr 20.12). Deus disse: "Eu, o Senhor, examino o coração e provo os pensamentos" (Jr 17.10). E o apóstolo Paulo se referiu ao Senhor como o Deus "que examina as intenções de nosso coração" (1Ts 2.4). Portanto, não há dúvida de que seremos testados.

"Uma vida que não é submetida a provas não vale a pena ser vivida", escreveu Howard Hendricks. Cabe a nós descobrir por que as coisas são como são. Seres humanos costumam aplicar testes a fim de obter informações, mas o mesmo não acontece com Deus. O Criador é onisciente e sabe de tudo. Ele não precisa nos submeter a avaliações para descobrir o que se passa em nosso coração. Então, por que somos provados? A Bíblia Sagrada não deixa essa pergunta sem resposta.

Deus nos prova para que nos conheçamos

A primeira razão para que o Senhor nos submeta a provas é que ele deseja que nos conheçamos melhor. Por que isso é importante? Porque a autoignorância pode nos colocar em terreno escorregadio. Em muitas ocasiões, imaginamos ser melhores do que na realidade somos. Frequentemente ignoramos nossos pontos fracos e deixamos de vigiar as áreas em que somos vulneráveis. Repetidas vezes nos acomodamos no crescimento espiritual e deixamos de enxergar quanto precisamos amadurecer. O poeta Fernando Pessoa tinha razão quando escreveu: "Entre o sono e o sonho, entre mim e o que em mim é o quem eu me suponho, corre um rio sem fim".

"Conhece-te a ti mesmo", afirmou o filósofo Sócrates. Com certeza trata-se de uma boa recomendação. O autoconhecimento é, de fato, essencial, embora não seja uma questão tão simples. Ela suscita a seguinte pergunta: Como alcançar o autoconhecimento? A Bíblia diz que uma maneira eficiente de alguém se conhecer melhor é observar sua reação às adversidades. Podemos nos achar muito fortes, puros e sábios, mas as tribulações exporão nossas fragilidades, assim como as tempestades expõem as fraquezas de uma árvore.

Deus consente que passemos por lutas para que possamos nos conhecer melhor. E o faz visando nosso próprio bem. Afinal, se ignorarmos a realidade poderemos cometer muitos erros. Foi, por exemplo, o que aconteceu a Pedro. O apóstolo garantiu a Jesus que, ainda que todos o abandonassem, ele jamais o faria. Cristo, porém, conhecia a verdade e respondeu: "Antes que o galo cante, você me negará três vezes" (Mt 26.34). Pedro não era tão corajoso quanto pensava. E as aflições daquela noite tenebrosa deixaram esse fato muito claro.

> Você pode esperar mais de uma prova divina em sua jornada de fé, mas Deus não usa as circunstâncias difíceis para descobrir o que faremos. Ele não nos testa para observar nossa resposta de fé. Ele já nos conhece melhor do que nós mesmos. Ele já sabe o que o futuro reserva. Deus usa as provações para que nos revelemos a nós mesmos. Ele costuma usar uma prova no início de uma lição para nos mostrar onde precisamos melhorar. Na maioria das vezes, segue-se uma temporada de aprendizado.
>
> Charles Swindoll[1]

Pedro, Abraão, Davi e outros personagens bíblicos descobriram em que áreas precisavam melhorar através das dificuldades que enfrentaram. Não devemos estranhar se o mesmo acontecer conosco. "O fogo prova a pureza da prata e do ouro, mas o Senhor prova o coração" (Pv 17.3). Precisamos encarar esses momentos de teste com humildade e perseverança.

Ao nos depararmos com situações de angústia, decepção ou conflito, oremos ao Senhor, dizendo: "Pai, usa esta conjuntura para mostrar-me quanto preciso de ti. Revela-me em que aspectos preciso melhorar. Ajuda-me a enxergar o progresso que já fiz e, também, quanto ainda tenho de progredir em minha caminhada de fé". Se mantivermos essa atitude, nenhuma gota do remédio das provações — que, embora pareça amargo, é eficaz — será desperdiçada.

Deus nos prova para que aprendamos a confiar nele

Como todas as pessoas, Abraão havia desenvolvido um repertório de habilidades ao longo da vida. Entre elas estavam a astúcia e a perspicácia. Essas habilidades lhe foram úteis em várias ocasiões, e ele as refinara com o passar do tempo. Depois de muitos anos, Abraão estava tão acostumado a usá-las que elas pareciam integradas a ele, numa espécie de "piloto automático". Instintivamente, o patriarca lançava mão daquelas habilidades cada vez que se achava em dificuldade. O problema é que esse comportamento automático de Abraão competia com a fé que ele deveria ter em Deus. Em lugar de se apegar ao Senhor, acabava confiando em si mesmo e em seus subterfúgios.

Ao correr para o Egito, em vez de aconselhar-se com Deus, o patriarca estava confiando em si mesmo. Ao dizer ao faraó que Sara era apenas sua irmã, ele estava apostando em sua argúcia. Ao aceitar a sugestão de gerar um filho por meio de uma escrava, ele estava tentando assumir o controle da situação. Ao esconder de Abimeleque o fato de Sara ser sua esposa, estava reincidindo no erro. Parece que Abraão havia desenvolvido uma espécie de comportamento automático para fazer frente às ameaças que enfrentava. Toda vez que ele sentia medo, apelava para os velhos hábitos.

Assim como Abraão, nós também desenvolvemos hábitos ao longo da vida. Alguns deles são errados e pecaminosos, e precisam ser abandonados. Mas até um comportamento que em si mesmo não seja ruim pode se tornar um problema. Basta que nos tornemos dependentes dele. Se confiarmos nas habilidades pessoais em vez de acreditarmos no poder do Senhor, não iremos muito longe em nossa jornada espiritual.

Os testes pelos quais passamos acabam trazendo à luz nossos procedimentos automáticos, que costumam revelar-se ineficazes. Quando nos deparamos com adversidades para as quais nosso repertório não provê solução, podemos nos sentir desorientados. Algumas pessoas chegam, até mesmo, a entrar em pânico. Mas as coisas não têm de seguir esse rumo. Chegar ao fim da autossuficiência pode ser bom. Pode nos levar a desenvolver uma atitude de dependência de Deus.

Uma jovem, a quem chamarei de Carla, havia aprendido a manter as pessoas à distância. Sua infância havia sido complicada e, por meio de um comportamento autoprotetor, ela havia conseguido sobreviver e se sentir segura. Agora, porém, Carla havia entrado em um relacionamento sério. Seu namorado demonstrava gostar realmente dela, e os dois já falavam em casamento. Mas as defesas automáticas da jovem vinham provocando muitas brigas e desentendimentos. Por essa razão, buscou aconselhamento comigo. "Você tem dificuldade em confiar nos outros, e costuma atacá-los antes que possam feri-la", eu lhe disse. "É um hábito ao qual tem se apegado há muitos anos. Porém, se quiser ser feliz, terá de se arriscar. Precisará estabelecer relações de confiança, primeiramente com Deus e, em segundo lugar, com as pessoas. Porque essa é a única maneira de construirmos relacionamentos saudáveis."

Tudo aquilo parecia muito assustador para ela. Era algo que a tirava de sua zona de conforto e que colocava em xeque sua dependência das habilidades desenvolvidas ao longo da vida. Contudo, ela estava decidida a tentar. E isso acabou por levá-la a uma nova dimensão de sua fé. Carla aprendeu a depositar sua confiança em Deus, pensando duas vezes antes de recorrer a qualquer tipo de artifício. Agindo assim, tornou-se uma pessoa mais acessível e alegre. E isso contribuiu para a felicidade do lar que ela posteriormente veio a constituir.

Cada um de nós precisa analisar como enfrenta os desafios da vida e, com humildade e coragem, pedir ao Senhor que assuma o controle. As provas nos sobrevêm para que enxerguemos nossas respostas automáticas e o perigo de depender delas. Com o passar do tempo, Abraão compreendeu isso. Ele acertou e errou algumas vezes, é verdade, mas foi gradativamente aprendendo a confiar em Deus. O Senhor deseja conduzir-nos pelo mesmo caminho. E esse é um dos motivos por que nos permite enfrentar provações.

Deus nos prova para que cresçamos espiritualmente

Quando nos conhecemos melhor e aprendemos a confiar mais em Deus, amadurecemos espiritualmente. E aqui encontramos uma terceira razão para que o Senhor nos submeta a provas. Não existe aperfeiçoamento sem treinamento. Essa é uma verdade que pode ser verificada em todas as áreas da vida, e que se evidencia também na esfera espiritual. Várias passagens na Bíblia nos mostram que Deus permite que seus filhos enfrentem situações adversas. Entretanto, o objetivo dessas provações é pedagógico. Elas concorrem para o aperfeiçoamento e a edificação dos santos.

Os bosques em que se encontra a madeira mais forte são aqueles que enfrentam os temporais mais severos. Os soldados que se saem melhor no campo de batalha são aqueles que passam pelo treinamento mais duro. Devemos ter esses fatos em mente. Uma fé madura será, sempre, uma fé que foi provada. O propósito dos testes pelos quais passamos não é a nossa destruição, mas o nosso fortalecimento. Os músculos espirituais, assim como os físicos, precisam ser exercitados.

"Faça nossa fé crescer", pediram certa vez os discípulos a Jesus (Lc 17.5). Uma maneira que o Senhor tem de fazer nossa fé crescer é sujeitá-la a provas. Os testes concorrem para o fortalecimento dos escolhidos de Deus. Assim como o ouro precisa passar pelo fogo a fim de mostrar seu valor, nossa fé se aperfeiçoa quando somos testados. Do mesmo modo que o diamante tem de ser lapidado para revelar sua beleza, nossa fé resplandece quando enfrentamos tribulações.

Será que Deus fez uso das provas para levar Abraão ao crescimento espiritual? Não há como questionar esse fato. Através dos testes a que foi submetido, o patriarca se transformou num homem melhor. Seu relacionamento com o Senhor se tornou mais íntimo e sua visão passou a ser mais elevada. Muitos devem a grandeza de sua vida aos obstáculos que enfrentaram. Essa verdade se aplica a Abraão, e pode aplicar-se igualmente a nós.

As provações que vêm de Deus são enviadas para provar e fortalecer nossas virtudes, e, de imediato, ilustrar o poder da graça divina; para testar a autenticidade dessas virtudes e para acrescentar vigor à nossa vida. Nosso Senhor, em sua sabedoria infinita e seu amor superabundante, valoriza a fé do povo de Deus a tal ponto, que não o separará dessas provações pelas quais a fé é fortalecida.

Charles Spurgeon[2]

Deus nos prova para que testemunhemos de nossa fé

Quando Jó permaneceu firme apesar das aflições, testemunhou de sua fé perante homens e anjos, e até mesmo diante de demônios. Quando Paulo foi aprisionado por pregar o evangelho, Deus lhe disse que por meio de suas cadeias ele testemunharia de Cristo tanto em Jerusalém quanto em Roma. Ester revelou suas origens por causa de uma ameaça de morte, e Noé testificou do cuidado divino enfrentando um dilúvio. Encontramos, assim, mais um princípio bíblico relacionado às provações. Proclamamos nossa crença pela forma como lidamos com as dificuldades e como somos guardados em meio às tribulações.

O Criador nada desperdiça, nem mesmo a dor. Ao permitir que passemos por provas, ele vê surgir em nosso coração sentimentos como apreensão e tristeza. Mas Deus se vale desses "efeitos colaterais" de nosso treinamento espiritual para acrescentar novos membros a sua família. Por meio de nossas experiências, o Senhor fala à alma daqueles que precisam ser salvos ou reanimados.

"O sangue dos mártires é a semente do cristianismo", afirmou Tertuliano muitos séculos atrás. Naquele tempo, os cristãos estavam sendo perseguidos. Eles eram aprisionados e atirados às feras pelo Império Romano. Entretanto, o número de convertidos não parava de crescer. As multidões que compareciam às arenas para assistir àquele triste espetáculo ficavam tão impressionadas com a coragem dos crentes que decidiam, ali mesmo, abraçar a fé em Jesus. Por isso, Tertuliano escreveu: "Para cada gota de sangue que cai na areia, um novo cristão se levanta".

A confiança com a qual os servos de Deus enfrentam as provas causa profunda impressão no coração daqueles que os cercam. Ao aproximar-se do fim de sua vida, Abraão ouviu de seus vizinhos: "O senhor é um príncipe honrado em nosso meio" (Gn 23.5). Como aqueles homens formaram um conceito tão elevado a respeito de Abraão? Observando como ele vivia e, especialmente, como lidava com as adversidades. Da mesma maneira, causaremos profunda impressão nos que estão a nossa volta quando virem que nosso cristianismo é mais que uma bela teoria. As provações tornam isso possível. E é por isso que elas são úteis à causa do Mestre.

***

Como podemos extrair das provas aquilo que elas têm de bom? Conhecendo-nos melhor, aprendendo a confiar em Deus, crescendo espiritualmente e testemunhando de nossa fé. Devemos lembrar sempre que os testes fazem parte da vida cristã. Eles são essenciais para o progresso daqueles que obedeceram ao chamado celestial. Conscientes dessa verdade, prossigamos firmes em nossa jornada. Assim como o "Pai da fé", veremos algo precioso emergir de nossas provações.

Num domingo ensolarado de 1799, em Little Meadow Creek, um menino de doze anos chamado Conrad Reed resolveu pescar depois de ter ido à igreja. Ele não parecia estar com sorte naquela tarde. Após lançar o anzol por várias horas nas águas do riacho que passava nos fundos da propriedade de seus pais, voltou para casa de mãos vazias. Foi quando viu, às margens do rio, uma rocha pesando cerca de sete quilos. Conrad achou a pedra bonita e resolveu levá-la consigo. Sua família também gostou da pedra e, sem saber do que era feita, a usaram como batente de porta durante três anos.

Em 1802, John Reed, o pai de Conrad, teve a ideia de levar aquela rocha até um joalheiro e pedir-lhe que a examinasse. Para sua surpresa, ela foi identificada como uma pepita de ouro, avaliada em vários milhares de dólares. Aquele pedaço de ouro — que, por três anos, havia sido usado como batente de porta em uma casa na Carolina do Norte — deu origem à primeira corrida do ouro dos Estados Unidos. Ela é, até hoje, uma das maiores pepitas já encontradas a leste das Montanhas Rochosas.

Essa história nos mostra como é importante que o valor das coisas seja revelado. A pedra que o pequeno Conrad achou às margens do rio acabou por enriquecer sua família e alterar a história de seu país. Contudo, até que a composição da rocha fosse estabelecida, seu valor permaneceu ignorado. Da mesma forma, enquanto a composição de nossa fé não for determinada, sua força continuará a ser desconhecida. E, assim, tanto nós quanto o mundo seremos privados de seus benefícios.

As provas revelam a real natureza da fé. Elas a refinam, aumentam e manifestam. Portanto, não desanimemos! Deus não permite provações em nossa vida para nos ferir, e sim para nos abençoar. Sabedor dessa verdade, o apóstolo Paulo escreveu: "Também nos alegramos ao enfrentar dificuldades e provações, pois sabemos que contribuem para desenvolvermos perseverança, e a perseverança produz caráter aprovado, e o caráter aprovado fortalece nossa esperança, e essa esperança não nos decepcionará, pois sabemos quanto Deus nos ama, uma vez que ele nos deu o Espírito Santo para nos encher o coração com seu amor" (Rm 5.3-5).

3
Edificando altares

> E vocês também são pedras vivas, com as quais
> um templo espiritual é edificado. Além disso, são
> sacerdotes santos. Por meio de Jesus Cristo, ofereçam
> sacrifícios espirituais que agradam a Deus.
>
> 1Pedro 2.5

A história de Abraão foi marcada por provas e altares. Aonde quer que o patriarca chegasse, duas coisas aconteciam: ele passava por um teste e oferecia um sacrifício. Isso foi algo constante ao longo de sua vida. Disso era feita sua rotina de fé, essas eram as marcas de sua peregrinação. E o ponto culminante da jornada espiritual de Abraão, vivido nas alturas de Moriá, envolveu significativamente uma prova e um altar.

A palavra "altar" significa "lugar de sacrifício". Nos tempos dos patriarcas os altares eram feitos de pedras não lavradas, sobre as quais se depositava uma oferta para o Senhor. Mais tarde, com a outorga da lei, foram colocados no tabernáculo dois altares: o altar de bronze (usado para os sacrifícios) e o altar de ouro (destinado à queima de incenso). As ofertas podiam ser de animais ou de vegetais, de acordo com seu propósito. Alguns sacrifícios eram consumidos totalmente e outros, parcialmente.

Hoje não vivemos debaixo da legislação mosaica, e talvez até olhemos com estranheza para aqueles procedimentos antigos. Mas, embora não precisemos oferecer sacrifícios nos moldes do Antigo Testamento, não devemos ignorar os ensinos presentes em sua prática e simbolismo. Altares falam de amor, fé, renúncia, salvação e esperança. E há muito que podemos aprender com os adoradores que viveram antes de nós.

Se examinarmos os altares erguidos pelos primeiros personagens bíblicos e pelo próprio Abraão, veremos que se revestem de um profundo significado. Com isso estaremos em condições de responder a algumas importantes perguntas: O que havia de tão especial naquelas primeiras expressões de culto? Para que acontecimentos futuros elas apontavam? Os sacrifícios ainda são necessários? Em caso afirmativo, em que eles devem consistir, e como devemos apresentá-los?

Os altares dos patriarcas

O livro de Gênesis nos transporta para tempos ancestrais. Ele nos conta como Deus criou o mundo, como a humanidade foi contaminada pelo pecado e como as pessoas buscaram tocar a vida dali em diante. De acordo com a Bíblia, a maioria dos homens e das mulheres simplesmente abandonou Deus, rebelando-se contra sua vontade. Mas alguns indivíduos tentaram reconectar-se com o Criador, que, por sua vez, não havia desistido dos seres humanos.

Para aqueles que desejaram andar com Deus e fazer sua vontade, os altares se tornaram muito especiais. Não sabemos como os primeiros adoradores foram levados à prática de oferecer sacrifícios. Talvez tenham recebido a orientação diretamente de seus pais, Adão e Eva. É igualmente possível que o Senhor lhes tenha revelado a importância desse procedimento. O fato é que os altares aparecem cedo na história bíblica, e alguns deles se destacam pela nobre disposição dos homens que os edificaram.

1. *O altar de Abel: um altar de adoração.* A história de Abel e seu sacrifício é relatada em Gênesis 4.1-16. Ele foi o primeiro adorador de quem o Senhor se agradou. Segundo as Escrituras, "Abel se tornou pastor de ovelhas, e Caim cultivava o solo. No tempo da colheita, Caim apresentou parte de sua produção como oferta ao SENHOR. Abel, por sua vez, ofertou as melhores porções dos cordeiros dentre as primeiras crias de seu rebanho. O SENHOR aceitou Abel e sua oferta, mas não aceitou Caim e sua oferta" (Gn 4.2-5).

Por que uma oferenda foi aceita e a outra não? O texto não nos dá essa informação, portanto só podemos cogitar os possíveis motivos. Talvez o Senhor tenha se agradado de Abel porque ele lhe dedicou o que tinha de melhor, ao passo que Caim apresentou apenas as sobras. Também é possível que o comportamento de Abel estivesse mais em harmonia com um ato de culto do que a conduta de seu irmão. Alguns teólogos acreditam que o erro de Caim tenha sido entregar uma oferta de comunhão antes de realizar um sacrifício expiatório. E há, também, a possibilidade de que a disposição do coração de cada um fosse diferente. Seja como for, a verdade é que Deus se agradou de Abel e de seu sacrifício.

Abel pagou um alto preço por sua devoção, uma vez que Caim, movido pela inveja, acabou por assassiná-lo. Sua atitude, porém, não passou despercebida aos olhos de Deus, que o estabeleceu como modelo de adorador sincero. Segundo as palavras do Novo Testamento, "pela fé, Abel apresentou a Deus um sacrifício superior ao de Caim. Com isso, mostrou que era um homem justo, e Deus aprovou suas ofertas. Embora há muito esteja morto, ainda fala por meio de seu exemplo" (Hb 11.4).

2. *O altar de Noé: um altar de gratidão*. Noé foi um patriarca famoso que construiu duas coisas: uma arca e um altar. Graças a sua obediência, a vida humana foi preservada. E, passado o dilúvio, "Noé construiu um altar ao Senhor e ali ofereceu como holocaustos alguns animais e aves puros" (Gn 8.20). Tão logo saiu da arca, a primeira coisa que aquele homem desejou fazer foi expressar a Deus seu reconhecimento e sua gratidão.

O gesto de Noé nos inspira e nos lembra a importância de sermos gratos a Deus. Infelizmente, a maioria dos indivíduos prefere murmurar a agradecer, e rapidamente se esquece dos benefícios recebidos. "A gratidão é o tesouro dos humildes", afirmou William Shakespeare. "A gratidão é a virtude das almas nobres", declarou Esopo. "A gratidão é a memória do coração", ensinou Antístenes. Ainda assim, não é tarefa fácil achar pessoas agradecidas. Como escreveu Anne Frank em seu diário, "Os mortos recebem mais flores que os vivos, porque o remorso é mais forte que a gratidão".

Devemos seguir o exemplo de Noé e erguer altares de gratidão em nossa alma. Que nossos olhos estejam abertos para enxergar tudo o que temos alcançado e de quem o temos recebido. Que nossa memória jamais esqueça o que foi realizado na cruz do Calvário e o valor que foi pago por nossa redenção. Que nossa boca se abra em cânticos de louvor a Deus. E que bata, em nosso peito, um coração agradecido.

3. *O altar de Isaque: um altar de superação*. Depois de enfrentar vários conflitos com os filisteus por causa dos poços que havia cavado, Isaque recebeu uma promessa do Senhor. Deus lhe apareceu durante a noite e lhe disse que não tivesse

medo. Garantiu-lhe que estaria a seu lado e que sempre o abençoaria. No dia seguinte, "Isaque construiu ali um altar e invocou o nome do SENHOR. Armou acampamento naquele local, e seus servos cavaram outro poço" (Gn 26.25).

Isaque, um dia, havia estado sobre um altar... mas nem por isso tinha desenvolvido "trauma de altares"! Ele ergueu o próprio altar, seguindo o exemplo deixado por Abraão. E ali ele ofereceu sacrifícios a Deus, expressando sua fidelidade e confiança. Ainda que inimigos tentassem barrar seu progresso, Isaque acreditou que o Senhor estava com ele e que tudo daria certo. Seu sacrifício foi uma prova da sua convicção.

Não é fácil adorar quando estamos passando por dificuldades. Com Isaque, entretanto, aprendemos essa lição de superação. Ele ergueu um altar. Ele cavou outro poço. Ele seguiu em frente. Dizem que o mais belo canto das aves é o do rouxinol, porque ele emite seu trinado nas horas escuras da noite. De igual modo, é provável que o louvor mais agradável a Deus seja aquele que prestamos nas horas difíceis da perseguição e da adversidade.

4. *O altar de Jacó: um altar de consagração*. Depois de passar vinte anos em Harã, Jacó retornou à terra prometida. Então "Deus disse a Jacó: 'Apronte-se, mude-se para Betel e estabeleça-se ali. Ao chegar, construa um altar para o Deus que lhe apareceu quando você estava fugindo de seu irmão, Esaú'" (Gn 35.1). Em conformidade com o mandado do Senhor, "Jacó e todos que estavam com ele chegaram a Luz (também chamada Betel), em Canaã. Jacó construiu um altar ali e chamou o lugar de El-Betel, pois Deus lhe havia aparecido em Betel quando ele estava fugindo de seu irmão" (Gn 35.6-7).

Houve um diferencial no altar de Jacó: sua edificação precisou ser precedida de um ato de purificação. Ao longo dos anos, o patriarca havia priorizado as conquistas materiais. Ele não se dedicara à orientação espiritual da família. Como resultado, algumas pessoas de sua casa praticavam a idolatria. Se quisesse obedecer à ordem do Senhor, ele precisaria corrigir esse erro. Por isso, antes de seguir para o lugar indicado por Deus, "Jacó disse à sua família e a todos que estavam com ele: 'Joguem fora todos os seus ídolos pagãos, purifiquem-se e vistam roupas limpas. Vamos a Betel, onde construirei um altar para o Deus que respondeu às minhas orações quando eu estava angustiado. Ele tem estado comigo por onde ando'" (Gn 35.2-3).

Da experiência de Jacó extraímos a lição de que não podemos servir a dois senhores. Deus requer exclusividade. Nenhum altar pode ser dedicado ao Senhor antes que tenhamos assumido um compromisso com ele. Deus não aceita adoração pela metade. Nenhum sacrifício pode ser oferecido até que o Criador tenha tudo de nós. "Se me buscarem de todo o coração, me encontrarão", diz sua Palavra (Jr 29.13). Temos de colocar-nos sobre o altar. Precisamos consagrar inteiramente nossa vida a Deus.

Quando tudo perante o Senhor estiver
E todo o teu ser ele controlar,
Só, então, hás de ver que o Senhor tem poder,
Quando tudo deixares no altar.

Hino "Fervente oração"[1]

Abel, Noé, Isaque e Jacó edificaram seus altares. Eles buscaram a Deus adotando uma postura de adoração, gratidão, superação e consagração. Essas marcas devem estar presentes em nosso relacionamento com o Senhor. Assim como aqueles homens, precisamos exaltar nosso Pai celestial pelo que ele é e louvá-lo pelo que ele faz. Temos de engrandecer seu nome em todos os momentos. Precisamos adorá-lo em espírito e em verdade.

Os altares de Abraão

Ainda que outros patriarcas tenham erguido altares, Abraão o fez com mais frequência. O "Pai da fé" nunca perdeu o senso de reverência perante a santidade e a onipotência de Deus. Ele buscava, a todo instante, estreitar os laços que o uniam ao Criador. É por isso que, de todos os personagens bíblicos, o que mais construiu altares foi Abraão.

Assim que Abraão chegou a Canaã, o Senhor lhe "apareceu e disse: 'Darei esta terra aos seus descendentes'. Abrão construiu um altar ali e o dedicou ao SENHOR, que lhe havia aparecido" (Gn 12.7). Em seguida, "Abrão viajou para o sul e acampou na região montanhosa, entre Betel, a oeste, e Ai, a leste. Construiu ali mais um altar dedicado ao SENHOR e invocou o nome do SENHOR" (Gn 12.8).

Após ter passado algum tempo no Egito, "Abrão mudou seu acampamento para Hebrom e se estabeleceu junto ao bosque de carvalhos que pertencia a Manre. Ali, construiu mais um altar ao SENHOR" (Gn 13.18). Posteriormente, Deus lhe disse: "Traga-me uma novilha, uma cabra e um carneiro, todos com três anos, mais uma rolinha e um pombinho" (Gn 15.9). Obedientemente, "Abrão lhe apresentou todos esses animais e os matou" (Gn 15.10).

Podemos ver, assim, que oferecer sacrifícios fazia parte da vida de Abraão. O patriarca andava pela fé, sem negar nada ao Altíssimo. Cada vez que chegava a um novo lugar ou vivia uma nova experiência, erguia um altar. Abraão conservava viva a lembrança de que havia sido chamado para caminhar com Deus. Jamais deixava de prestar uma adoração sincera. Entregava sempre aquilo que tinha de melhor.

A esta altura, podemos nos perguntar: Por que a adoração de Abraão e dos demais patriarcas envolvia a construção de altares e a realização de sacrifícios? Certamente havia um motivo para que o Senhor requeresse isso de seus servos. Com o pecado original, a relação do Criador com os seres humanos havia sido rompida. Para que a reaproximação pudesse ocorrer, um sacrifício teria de ser realizado. A razão está no fato de que Deus, embora amoroso, é também justo. O salário do pecado é a morte. E para que pudéssemos ter comunhão com o Senhor, alguém teria de pagar por esse pecado.

Os altares erguidos na época do Antigo Testamento visavam destacar essa realidade. Cada adorador estava consciente da necessidade de fazer as pazes com Deus antes de aproximar-se dele. Um relacionamento havia sido rompido, e o objetivo do culto era restaurá-lo. A reconciliação tinha de ser promovida. A inimizade tinha de ser desfeita.

Todos os sacrifícios do Velho Testamento tinham como finalidade estreitar o relacionamento do homem com Deus, quer buscassem agradar ao Senhor, quer visassem torná-lo propício e alcançar o perdão sem ser consumido de sua presença.

Pedro Valério[2]

O derramamento do sangue de animais sobre o altar, contudo, apenas apontava para uma realidade futura. Como bem destacou o autor de Hebreus, "é impossível que o sangue de touros e bodes remova pecados" (Hb 10.4). Aqueles eram atos de fé, mostrando a confiança que os adoradores depositavam no sacrifício eficaz que o próprio Deus providenciaria. E de fato, chegando a plenitude dos tempos, Jesus "apareceu uma vez por todas para remover o pecado mediante sua própria morte em sacrifício" (Hb 9.26).

Sobre o monte Calvário, Deus também construiu um altar. Ali, naquela cruz ensanguentada, Cristo se ofereceu voluntariamente para expiar nossos pecados. Jesus é a provisão divina para a salvação da humanidade. "Ele é capaz de salvar de uma vez por todas aqueles que se aproximam de Deus por meio dele" (Hb 7.25). Os sacrifícios de Abraão, dos patriarcas e de todos os personagens do Antigo Testamento remetiam ao ministério do Redentor. É pelo sangue de Jesus que somos salvos, perdoados e reconciliados com Deus.

Nosso altar

Uma vez que Jesus pagou, com sua morte, o preço do pecado em nosso lugar, já não há mais necessidade de oferecermos animais em holocausto. Os sacrifícios eram sombras, e Cristo é a luz. Como cristãos, não acreditamos que as práticas do Antigo Testamento tenham de ser reeditadas. Tampouco cremos que seja preciso nos entregarmos a penitências ou autopunições para sermos perdoados. A obra de Jesus foi completa, e Deus não requer de nós qualquer tipo de sofrimento para que sejamos salvos. Surge, então, a pergunta: Há ainda algum tipo de sacrifício que devamos oferecer ao Senhor?

Nenhum ser humano precisa fazer sacrifícios para reconciliar-se com Deus. Contudo, as práticas cultuais do Antigo

Testamento também visavam agradecer ao Senhor e render glória ao seu nome. Neste segundo objetivo pelos quais os altares eram erguidos, as ofertas são, sim, bem-vindas ainda hoje. Nós podemos chamá-las de "sacrifícios espirituais" (1Pe 2.5). Não visam expiar pecados, mas demostrar amor. Não envolvem a morte de animais, mas disposições da alma. Os sacrifícios espirituais são o substituto neotestamentário das antigas ordenanças. O altar requerido por Deus é, agora, levantado no coração.

Paulo escreveu: "Portanto, irmãos, suplico-lhes que entreguem seu corpo a Deus, por causa de tudo que ele fez por vocês. Que seja um sacrifício vivo e santo, do tipo que Deus considera agradável. Essa é a verdadeira forma de adorá-lo" (Rm 12.1). O que o apóstolo está dizendo é que tudo o que somos e temos deve ser posto no altar. O Senhor exige uma entrega completa, uma rendição absoluta. Viver para aquele que morreu por nós é o jeito certo de adorar a Deus.

Escrevendo aos cristãos de Filipos, Paulo também disse: "[Eu] me alegrarei mesmo se perder a vida, entregando-a a Deus como oferta derramada, da mesma forma que o serviço fiel de vocês é uma oferta a Deus" (Fp 2.17). Agora, o apóstolo afirma que tanto a sua morte por amor a Cristo quanto os donativos que os irmãos haviam enviado para sustentá-lo eram oferendas consagradas a Deus. Fazer o que agrada ao Senhor é oferecer-lhe um sacrifício vivo.

Mais tarde, Paulo escreveria a Timóteo, dizendo: "Quanto a mim, minha vida já foi derramada como oferta a Deus. O tempo da minha morte se aproxima. Lutei o bom combate, terminei a corrida e permaneci fiel" (2Tm 4.6-7). Preso em uma cadeia romana à espera da execução, o apóstolo via aproximar-se a hora de seu martírio. Paulo enxergava o fim de seus dias como uma libação derramada sobre o altar, uma verdadeira oferta dedicada a Deus. Havia procurado honrar ao Senhor com sua vida e, certamente, o glorificaria com sua morte.

Seguindo um pouco à frente no Novo Testamento, vamos encontrar o autor de Hebreus fazendo a seguinte exortação: "Assim, por meio de Jesus, ofereçamos um sacrifício constante de louvor a Deus, o fruto dos lábios que proclamam seu nome. E não se esqueçam de fazer o bem e de repartir o que têm com os necessitados, pois esses são os sacrifícios que agradam a Deus" (Hb 13.15-16). Agora, são os louvores entoados ao Senhor e os atos de beneficência praticados em seu nome que são considerados sacrifícios espirituais. Eles expressam o amor que temos por Deus e pelo próximo. Eles dignificam nosso Pai e abençoam nossos irmãos.

Vemos, portanto, que os sacrifícios espirituais devem estar presentes no dia a dia dos servos de Deus. Precisamos viver para glorificar ao Senhor e prestar serviço em seu nome. Atribui-se a João Crisóstomo, pregador do século 4, as palavras: "Que os olhos não contemplem o mal, e isso importa em sacrifício; que a língua não profira nenhuma vileza, e isso será uma oferta; que as mãos não operem o que é pecaminoso, e isso equivale a um holocausto. Mais do que isso! Devemos nos esforçar arduamente em favor do bem: as mãos dando esmolas, a boca bendizendo aqueles que nos amaldiçoam e os ouvidos prontos a dar atenção a Deus". Há muita sabedoria nessas palavras. Cada ato na vida de um cristão deve poder ser considerado uma oferta em louvor a Cristo.

* * *

Tal qual Abraão e os demais patriarcas, temos a oportunidade de construir altares e de oferecer sacrifícios ao Senhor.

Consideremos esse fato uma alegria e um privilégio. Afinal, Deus não procura adoração — ele procura adoradores! Fomos criados para a glória de Deus e, quando o honramos, nós nos realizamos. Tornamo-nos aquilo que fomos criados para ser. Não é o Senhor que precisa da nossa adoração. Somos nós que temos necessidade de adorá-lo.

Como Abel, podemos dedicar ao Criador um louvor sincero. Como Noé, podemos dar-lhe graças em tudo. Como Isaque, podemos exaltar seu nome nas horas difíceis. Como Jacó, podemos entregar-nos totalmente a ele. E, à semelhança de Abraão, podemos consagrar a Deus cada momento e experiência de nossa caminhada, declarando-os santos ao Senhor.

É preciso, contudo, atentar para a seguinte verdade: todo sacrifício tem um custo. Adorar significa ofertar alguma coisa a Deus. E aquilo que ofertamos será, muitas vezes, algo a que damos grande valor. Sacrifício envolve renúncia. Implica abrir mão de algo estimado em troca de um bem maior. E precisamos estar prontos a pagar o preço.

A Bíblia diz que, certa ocasião, o rei Davi buscou oferecer um sacrifício a Deus. Ele se dirigiu a um espaço aberto que pertencia a um jebuseu chamado Araúna e lhe disse: "Vim comprar sua eira e construir nela um altar para o Senhor". Esta foi a resposta de Araúna: "Pode ficar com a eira, meu senhor. [...] Use-a como lhe parecer melhor. Aqui estão os bois para o holocausto, e o senhor pode usar as tábuas de trilhar e as cangas dos bois como lenha para o fogo do altar. Eu lhe darei tudo, ó rei". Davi, porém, replicou: "Não! Faço questão de pagar por tudo. Não apresentarei ao Senhor, meu Deus, holocaustos que nada me custaram" (2Sm 24.18-24).

Davi estava certo. Sacrificar tem um preço. E aquilo que estamos dispostos a oferecer ao Senhor — ou, talvez, aquilo que ele venha a nos pedir — pode ser muito custoso. No caso específico de Abraão, Deus lhe pediu seu filho. E também pode acontecer que, em algum ponto de nossa jornada de fé, ele venha a nos pedir alguma coisa da qual tenhamos dificuldade de abrir mão. O Senhor, porém, sabe o que faz. Mais do que isso: ele não requer que façamos nada que ele mesmo não tenha feito.

Em meados do século passado, os Estados Unidos ingressaram na Segunda Guerra Mundial. Naquela época, um costume se espalhou pelo país. Cada família que tinha um filho no front colocava, na janela de casa, uma estrela prateada. Aquilo simbolizava que um ente querido estava no campo de batalha. Muitas vezes, porém, a família recebia a triste notícia de que a pessoa morrera em combate. Quando isso acontecia, a estrela prateada era substituída por uma estrela dourada, indicando que um jovem dera sua vida em defesa da nação.

Certa noite de inverno, um homem caminhava pela rua, acompanhado do filho de cinco anos. O menino ficou curioso ao ver as estrelas colocadas nas janelas, e quis saber o que elas significavam. Seu pai lhe explicou e, a partir daquele momento, cada vez que o garoto via uma estrela dourada suspensa em uma janela, apontava em sua direção e dizia: "Veja, papai, outra família que deu o filho pelo seu país!". Finalmente chegaram a um lugar descampado, onde não havia mais nenhuma habitação. Afastados das luzes das casas, os dois ergueram os olhos e começaram a contemplar o céu em toda a sua beleza. Uma estrela muito brilhante, de coloração dourada, se destacava das demais. O menino ficou muito admirado quando a viu. Puxando a manga da camisa do pai, ele apontou na direção do astro e exclamou: "Olhe, papai, aquela estrela dourada no céu! Que coisa mais linda! Deus também deve ter dado o Filho dele!".

Sim, isso é um fato. Há uma estrela dourada na janela de Deus. O Criador também deu o Filho dele, e o fez por amor a nós. "Deus amou tanto o mundo que deu seu Filho único, para que todo o que nele crer não pereça, mas tenha a vida eterna" (Jo 3.16).

Ao examinar a história de Abraão e do sacrifício de Isaque, devemos considerar essa verdade. Por mais que a ordem dada pelo Senhor ao patriarca possa parecer-nos chocante, não podemos esquecer que ela foi dada por um Deus bondoso. Deve haver, portanto, algum significado profundo nesse episódio bíblico, assim como deve existir algum sentido nas provas pelas quais passamos e nas renúncias que somos levados a fazer. E esse significado deve visar o nosso bem e o benefício de outros através de nós, porque o Deus que nos chamou para andar com ele é um Deus de amor.

4
Uma ordem desconcertante

> Algum tempo depois, Deus pôs Abraão à prova.
> "Abraão!", Deus chamou.
> "Sim", respondeu Abraão. "Aqui estou!".
> Deus disse: "Tome seu filho, seu único filho, Isaque,
> a quem você tanto ama, e vá à terra de Moriá. Lá,
> em um dos montes que eu lhe mostrarei, ofereça-o
> como holocausto".
>
> Gênesis 22.1-2

Nada parecia indicar que aquela seria uma noite diferente das outras. Após mais um dia de trabalho árduo, todos no acampamento dormiam profundamente. As ovelhas estavam em seu aprisco, e os jumentos em sua baia. Sob a proteção dos toldos, homens e mulheres repunham as energias para enfrentar a nova jornada de trabalho que se iniciaria com os primeiros raios do sol.

A noite estava quente e tranquila, clareada pela lua cheia que pairava no céu de Canaã. Um lobo solitário uivou ao longe, provocando, como resposta, o mugido de algumas vacas. Uma ou duas crianças choramingaram por causa disso, mas as mães, deitadas ao seu lado, trataram de fazê-las voltar a dormir. Dezenas de cabanas se espalhavam pelo lugar, cada qual abrigando uma família ou um grupo de serviçais. Em todas elas parecia reinar a mais absoluta paz.

Na tenda de Abraão e de Sara as coisas não eram diferentes. O casal já estava idoso, mas ainda se conservava bastante ativo. Por isso, as horas revigorantes de sono eram sempre muito bem-vindas. Em um canto da tenda dormia Isaque, o filho pelo qual ambos haviam esperado muito tempo e que, àquela altura, já entrara na adolescência. A chama oscilante do candeeiro iluminava palidamente o aposento, acrescentando à cena bucólica um toque a mais de serenidade.

A certa altura, uma brisa suave movimentou as cortinas da entrada da tenda, fazendo dançar a pequenina chama. Abraão acordou, sentindo um arrepio lhe percorrer o corpo. O patriarca reconheceu, de imediato, a presença do sobrenatural. Alguém havia entrado na cabana. Mais uma pessoa estava ali com eles agora. Abraão já havia experimentado aquela sensação, e sabia o que estava acontecendo. Identificou, logo, a chegada de Deus.

— Abraão — disse a voz do Senhor.

O patriarca ouviu o chamado, mas Sara e Isaque nada escutaram, e continuaram a dormir. Aquilo não surpreendeu Abraão. Já em outras ocasiões Deus lhe havia falado de forma muito particular. Ainda assim, ele pensou que havia algo distinto daquela vez. Abraão e o Senhor eram amigos, conheciam a voz um do outro. E o patriarca pensou que, naquele momento, havia um tom de gravidade na voz do Criador.

— Sim — respondeu Abraão. — Aqui estou!

O Senhor tornou a falar. E nada do que o patriarca tinha vivido até aquele momento poderia tê-lo preparado para o que ouviria em seguida. O Todo-poderoso lhe disse:

— Tome seu filho, seu único filho, Isaque, a quem você tanto ama, e vá à terra de Moriá. Lá, em um dos montes que eu lhe mostrarei, ofereça-o como holocausto.

Depois disso, a chama do candeeiro se agitou mais uma vez. E, então, tudo ficou em silêncio. O ambiente readquiriu a normalidade exibida poucos segundos antes. Mas é claro que, para Abraão, nada estava normal. O pronunciamento do Senhor havia atravessado seu coração como um punhal. Dezenas de sentimentos, todos fortes e conflitantes, se agitavam em seu interior. Ele não conseguia encontrar nenhum sentido no que escutara. Mas, ao mesmo tempo, não tinha nenhuma dúvida de que o havia escutado.

O velho homem de Deus sentou-se em seu leito. Olhou para Sara, a companheira de uma vida inteira, que dormia tranquila ao seu lado. Olhou para Isaque, o filho querido, que parecia ainda mais belo sob a luz tênue do candeeiro. Pensou em quanto amava os dois, e em como amava o Senhor. Naquele momento, poderosas emoções o sacudiram. Abraão escondeu o rosto entre as mãos, esforçando-se ao máximo para não fazer nenhum ruído. Então, silenciosamente, ele chorou e chorou.

Surpreendido por Deus

Embora haja alguns toques de ficção nos parágrafos anteriores, é possível que os acontecimentos tenham transcorrido de maneira semelhante. Entretanto, não há garantia. Para dizer a verdade, é difícil, para qualquer um de nós, conceber os detalhes que envolveram a ordem dada a Abraão para que sacrificasse seu filho. Trata-se de algo atordoante, que vai além de nossa imaginação.

O pronunciamento divino pegou Abraão de surpresa, e costuma surpreender também os que leem a Bíblia pela primeira vez. Nenhum precedente parecia indicar que algo semelhante pudesse acontecer. Nenhuma falha é apontada no comportamento do patriarca, nenhuma ocorrência parece justificar o fato. Abraão obedeceu ao chamado do Senhor, cresceu na fé, tornou-se um homem melhor. Ele venceu suas lutas e realizou seus sonhos. Agora, sua família está segura ao seu lado, e ele desfruta paz com os povos vizinhos. Finalmente, tudo está bem. E então...

Então Deus aparece ao seu servo e lhe dá uma ordem desconcertante. O pronunciamento do Senhor é ao mesmo tempo inesperado e muito claro. Deus é bastante específico. Ele não dá — nem a Abraão nem a nós — a chance de fazer a pergunta: "Será que eu entendi direito?". De fato, o comunicado do Senhor é tão claro que parece calculado para surtir o maior efeito possível. As palavras vão chegando a Abraão aos poucos, como golpes a atingi-lo sucessivamente, cada um mais forte que o outro. Algo mais ou menos assim:

"Abraão!"

"Sim, Senhor, aqui estou!"

"Tome seu filho." *Bang!*

"Seu único filho." *Bang!*

"Isaque, a quem você tanto ama." *Bang!*

"E vá à terra de Moriá." *Bang!*

"Lá, em um dos montes que eu lhe mostrarei, ofereça-o como holocausto." *Bang!*

Assim é a sequência: cada frase é uma pancada. Em sua fala, Deus vai especificando e enfatizando as coisas, aumentando a tensão à medida que as palavras se sucedem. O Criador parece querer mostrar que tem consciência daquilo que está requerendo e do alto preço envolvido. A sucessão de termos faz vibrar os sentimentos de Abraão e daqueles que leem sua história. Ela enfatiza a severidade do teste, revelando como o cumprimento da ordem divina só poderia se dar através de uma demonstração da mais alta fidelidade.

O mandamento era claro, mas parecia não fazer sentido. Abraão sabia que alguns pagãos tinham o costume de sacrificar os próprios filhos aos deuses, mas o Senhor jamais aprovara aquela prática. Mais tarde, tal costume seria veementemente condenado na Bíblia. "Não permita que nenhum de seus filhos seja oferecido como sacrifício", estabeleceria a Lei (Lv 18.21). E prosseguiria dizendo: "Não adorem o Senhor, seu Deus, da forma como outras nações adoram os deuses delas, pois realizam para eles todo tipo de atos detestáveis que o Senhor odeia. Chegam até a queimar seus filhos e filhas como sacrifícios a seus deuses" (Dt 12.31). "Jamais deverá haver entre vocês alguém que queime seu filho ou sua filha como sacrifício" (Dt 18.10).

Como podemos conciliar a determinação dada a Abraão com a proibição divina a atos semelhantes? Nós, que conhecemos o final da história, temos a resposta: Deus estava testando Abraão. A intenção do Senhor nunca foi que o patriarca levasse a ação até o fim. Abraão, porém, não sabia disso. Ele acreditou de todo o coração que Isaque precisaria ser morto. E isso deve ter acrescentado a sua tristeza muitos questionamentos.

Certa ocasião, Jesus disse a Pedro: "Você não entende agora o que estou fazendo, mas algum dia entenderá" (Jo 13.7). Parece que essa é uma fala com a qual todo crente tem de se habituar. Deus se move por caminhos misteriosos. Ele nem sempre faz o que nos parece óbvio. Ele nem sempre nos dá explicações. Algumas de suas ações só são compreendidas mais tarde. Alguns de seus atos nos pegam de surpresa e, quando isso acontece, podemos nos sentir desconcertados.

Entretanto, temos provado e visto que o Senhor é bom. Se alguns dos atos de Deus nos parecem misteriosos, o mesmo não pode ser dito de sua natureza. Não há surpresas no que se refere ao caráter de Deus. Ele é sempre justo e amoroso. E é por isso que devemos colocar nele a nossa confiança. Como afirmou Elton Trueblood, "Fé não é acreditar sem provas, mas confiar sem reservas". Sempre podemos crer na bondade do Senhor.

Tentação ou provação?

Um dos questionamentos que pode nos sobrevir com respeito à ordem dada ao patriarca é: Deus estava tentando Abraão? Ao mandar-lhe que sacrificasse seu filho, o Senhor o estava induzindo a cometer uma ação errada? Essa é uma inquirição legítima. E, para esclarecer esse ponto, precisaremos entender a diferença entre tentação e provação.

Algumas versões antigas da Bíblia traduziam Gênesis 22.1 da seguinte maneira: "E aconteceu, depois destas coisas, que tentou Deus a Abraão". Mas não era uma boa tradução. A palavra hebraica utilizada no versículo é *nissah*, que significa "testar" ou "submeter à prova". O Senhor não estava tentando Abraão, e sim colocando à prova a lealdade de seu servo. "O Senhor põe à prova tanto o justo como o perverso", dizem as Escrituras (Sl 11.5).

Há, todavia, uma grande diferença entre *provar* e *tentar*. A provação visa o nosso bem, e a tentação, o nosso mal. A provação vem de Deus, e a tentação, do diabo. A provação tem por objetivo despertar o que há de melhor em nós, e a tentação, mobilizar nosso pior lado. A tentação pode terminar em pecado, mas a provação concorre para o crescimento espiritual, para o testemunho de nossa fé e para a glória de Cristo.

Em sua carta, o apóstolo Tiago escreveu: "Quando vocês forem tentados, não digam: 'Esta tentação vem de Deus', pois Deus nunca é tentado a fazer o mal, e ele mesmo nunca tenta alguém. A tentação vem de nossos próprios desejos, que nos seduzem e nos arrastam. Esses desejos dão à luz o pecado, e quando o pecado se desenvolve plenamente, gera a morte" (Tg 1.13-15).

No caso da provação, contudo, acontece algo diferente. Mais uma vez, é Tiago quem nos diz: "Meus irmãos, considerem motivo de grande alegria sempre que passarem por qualquer tipo de provação, pois sabem que, quando sua fé é provada, a perseverança tem a oportunidade de crescer" (Tg 1.2-3).

Provação e tentação são coisas distintas, ainda que, em certas ocasiões, caminhem juntas. Por exemplo: Será que Abraão, ao receber a ordem para sacrificar Isaque, não se viu tentado a desobedecer? Caso isso tenha ocorrido, ele teve diante de si uma escolha. Mas, nesse caso, mantendo-se firme diante da tentação (como fez Jesus no deserto), o patriarca testemunhou de sua fé e alcançou uma grande vitória. Glorificamos a Deus quando aceitamos a provação e quando resistimos à tentação.

A fé deve ser provada. Somente ante a provação ela revela sua força ou é capaz de realizar o impossível. Satanás nos tenta visando produzir a impiedade; Deus nos prova para que exercitemos o que temos de mais alto e de melhor.

F. B. Meyer[1]

Sendo provada, a fé de Abraão se fortaleceu. E o mesmo acontecerá conosco sempre que enfrentarmos as adversidades com determinação e confiança. Joias precisam ser lapidadas se quiserem revelar seu valor. De igual forma, todo cristão deve estar ciente de que "é necessário passar por muitos sofrimentos até entrar no reino de Deus" (At 14.22).

Será que Abraão amava demais Isaque?

Na tentativa de achar uma explicação para a ordem do Senhor a Abraão, alguns estudiosos bíblicos cogitaram a possibilidade de que a determinação fosse uma medida corretiva. Na opinião deles, o problema estava no patriarca, ou, mais especificamente, no apego que ele tinha a Isaque. Sendo o filho da promessa, o rapaz teria ocupado o lugar mais alto no coração de Abraão. Sendo o filho de sua velhice, teria sido mais amado do que o próprio Deus.

Ainda segundo esse pensamento, o Senhor teria estabelecido o sacrifício a fim de que Abraão revisse sua lista de prioridades. O mandamento para que oferecesse Isaque em holocausto teria lembrado ao patriarca que ele deveria amar primeiramente a Deus, e não a qualquer coisa ou pessoa. Uma vez havendo se disposto a obedecer à ordem e a abrir mão de seu filho, Abraão teria mostrado que percebera seu erro e o corrigira. E, dessa maneira, o objetivo divino teria sido alcançado, e o sacrifício não precisaria ter sido realizado.

Até onde podemos avançar nessa teoria?

Realmente, o Senhor estabeleceu no primeiro mandamento: "Não tenha outros deuses além de mim" (Êx 20.3). Alguns indivíduos colocam coisas ou pessoas na frente de Deus e acabam fazendo delas os seus deuses. É possível idolatrar um partido político ou um time de futebol. É possível venerar uma denominação ou um ministério. É possível adorar uma carreira ou um patrimônio. E também é possível endeusar um esposo, uma namorada, um filho ou um neto. Até coisas boas podem se tornar laços em nossa vida. Para isso, basta que as coloquemos no lugar de Deus. "Se a minha mulher me deixar, eu me mato!", ouvi um marido dizer certa vez. Em outra ocasião, conversei com um homem que perdera a razão de viver porque não tinha mais seu emprego. A idolatria pode assumir formas sutis. Endeusamos coisas ou pessoas, e desse modo nos tornamos reféns delas. Diante da possibilidade de perdê-las, entramos em pânico.

Às vezes, o Senhor pode tocar naquilo a que damos valor exagerado, balançando o pedestal em que o colocamos e ameaçando tirá-lo de nós. Ele age assim para que nos lembremos de que precisamos buscar em primeiro lugar seu reino e sua justiça (Mt 6.33). Quando isso acontece, costumamos ficar desnorteados. O resultado, porém, é bastante libertador. Aprendemos a reorganizar prioridades, a não depender dos bens ou do desempenho, e a estabelecer uma relação saudável com os que amamos. Francis Thompson assinalou isso de forma poética, ao escrever: "Tirei de ti todas as coisas, não para teu fracasso, mas para que pudesses encontrá-las em meu abraço".

Portanto, é razoável analisar o lugar que damos às coisas e às pessoas em nossa vida. Como seres humanos imperfeitos, podemos chegar a dar mais valor às bênçãos de Deus do que ao Deus das bênçãos. Se isso acontecer e o Senhor corrigir nossa escala de valores, estará nos prestando um favor. Seguiremos em frente com uma nova perspectiva e cresceremos espiritualmente.

Cabe aqui, porém, uma ressalva: não sabemos se esse foi o caso de Abraão. Embora a teoria seja plausível, não há nada nas Escrituras que a sustente abertamente. Em nenhum versículo da Bíblia nos é dito que o patriarca amava demais o próprio filho e que, por causa disso, precisava ser corrigido. Trata-se de algo que pode acontecer com qualquer um. Contudo, não há nenhuma prova de que tenha acontecido com Abraão. Portanto, precisamos ser cautelosos. Atribuir uma falha ao patriarca para justificar sua provação pode nos levar a cometer uma injustiça. E afirmar que todos os que sofrem estão sendo disciplinados por Deus pode fazer de nós péssimos consoladores, à semelhança dos amigos de Jó (Jó 16.2).

E se fosse conosco?

O que sabemos, então, sobre a ordem dada a Abraão para sacrificar Isaque? Em primeiro lugar, verificamos que, embora tenha sido surpreendente, ela foi também muito específica. Segundo, foi uma provação, e não uma tentação. Terceiro, ainda que seja possível que tivesse havido um caráter corretivo, não pode ser afirmado categoricamente.

No próximo capítulo, examinaremos a resposta do patriarca à determinação recebida de Deus. Perceberemos que Abraão se portou dignamente e mostrou discernimento espiritual. Identificaremos os elementos que sustentaram sua resposta e que o levaram a conquistar um grande triunfo. Buscaremos descobrir como podemos desenvolver esses elementos em nossa própria vida a fim de que também sejamos vitoriosos.

Porém, antes de darmos esse passo, convém nos determos um pouco mais na ordem dada pelo Senhor e formular uma última indagação: E se o mesmo acontecesse conosco?

Alguns de nós trememos só de pensar nessa possibilidade. Outros já passaram (ou estão passando) por situações parecidas. E existem ainda aqueles que, receosos, perguntam-se: Se eu entregar a minha vida a Deus, corro o risco de que ele faça comigo o que fez com Abraão?

O mandamento dado pelo Senhor a Abraão constituiu, de fato, uma prova da mais elevada dificuldade. Contudo, houve uma razão para isso. O rigor do teste pode ser explicado pelo papel que o patriarca desempenhou na história do evangelho. Abraão foi o "Pai da fé", o "Pai daqueles que creem", o "Amigo de Deus". O Senhor ensinou muitas coisas através de suas experiências, formou a partir dele seu próprio povo e levantou o Salvador do meio de sua descendência. E a quem muito é dado, muito é pedido (Lc 12.48).

Entendemos, assim, que a severidade da prova de Abraão foi proporcional ao tamanho de sua importância no plano de salvação. Dificilmente o Senhor faria, a qualquer outra pessoa, um pedido semelhante. Ainda assim, as provas a que somos submetidos podem parecer-nos tão difíceis quanto a do patriarca. Elas sempre nos parecerão excessivamente grandes ou pesadas, simplesmente por serem nossas.

Deus pode pedir que abramos mão de um namoro, de uma carreira, de um bem ou de um sonho. Ele pode permitir que passemos por enfermidades, desapontamentos ou solidão. Ele pode submeter-nos a longos períodos de espera. Pode tirar coisas ou pessoas de nossa vida. Em situações assim, qual deve ser nossa atitude? Devemos ficar revoltados? Devemos duvidar da bondade do Senhor? Devemos concluir que ele não nos ama?

Não, nada disso! Jamais deveríamos duvidar, nas horas escuras, daquilo que nos foi revelado nos momentos de luz.

Já tivemos demonstrações suficientes da bondade e sabedoria do Criador. Ele já provou seu grande amor ao enviar Cristo para morrer por nós quando ainda éramos pecadores (Rm 5.8). Ele é merecedor de nossa confiança. E podemos estar certos de que tudo o que vier de suas mãos será o melhor para nós.

***

Há um altar no caminho de todos aqueles que foram chamados para andar com Deus. Talvez não tenhamos de entregar o mesmo que foi requerido a Abraão, mas certamente precisaremos oferecer algo. Teremos de sacrificar nosso ego, nossa autossuficiência e a própria vida. Nunca é demais recordar as palavras de Cristo: "Se alguém quer ser meu seguidor, negue a si mesmo, tome diariamente sua cruz e siga-me" (Lc 9.23).

Atender ao requerimento divino, porém, significa perder para ganhar. O Deus eterno não é dado a caprichos. Ele não determinará algo que deixe de servir a um propósito ou de concorrer para um benefício. Todas as suas ações visam, em última instância, o nosso bem. Sendo assim, obediência e fé serão sempre a melhor resposta. "Eu tentei reter muitas coisas em minhas mãos, e as perdi; mas aquilo que entreguei nas mãos de Deus eu ainda tenho", afirmou Martin Luther King Jr.

Muito tempo atrás, um jardineiro em Glasgow, na Escócia, estava prestes a cortar o galho de uma árvore que ficava no quintal de uma casa. Entretanto, ao olhar por entre as folhas, percebeu que havia ali um ninho com dois pequeninos ovos. O homem, então, procurou o dono da casa e relatou-lhe a situação, pedindo que o galho não fosse cortado até que os passarinhos nascessem e se tornassem grandes o bastante para voar. O proprietário atendeu à solicitação.

Alguns meses se passaram. Então, o jardineiro voltou à árvore, e descobriu que o ninho já estava vazio. Antes de cortar o galho, ele examinou com delicadeza o pequeno abrigo que a ave construíra para seus filhotes. Entre o material coletado, achou alguns pedacinhos de papel que ela havia usado para amaciar o fundo do ninho. Ao examiná-los, encontrou entre os papeizinhos um pequeno trecho de uma página da Bíblia. Estava escrito: "... pois ele cuida de vocês".

O pedaço de papel que o jardineiro encontrou registrava as palavras finais de 1Pedro 5.6-7. Ali lemos o seguinte: "Portanto, humilhem-se sob o grande poder de Deus e, no tempo certo, ele os exaltará. Entreguem-lhe todas as suas ansiedades, pois ele cuida de vocês". Trata-se de uma maravilhosa promessa! O Senhor Jesus afirmou que Deus cuida das aves do céu e das flores do campo (Mt 6.26-30). Podemos ter certeza de que ele também cuidará de nós. Tomaremos a decisão certa se escolhermos confiar no Senhor.

Quando dirigimos por uma estrada, só conseguimos enxergar até a próxima curva. Mas nosso Pai celestial vê, do alto, o caminho inteiro. Portanto, é uma atitude sábia entregar-lhe nosso destino. Não temos uma visão completa do trajeto, e é por isso que algumas ações do Criador podem, a princípio, não fazer sentido para nós. Nesses momentos, fazer a vontade divina implicará dar um salto de fé. Mas esse salto nos levará para um lugar mais alto. Ele nos fará avançar em nossa jornada espiritual, e nos conduzirá para mais perto do Senhor.

5
Uma resposta de fé

> Na manhã seguinte, Abraão se levantou cedo e
> preparou seu jumento. Levou consigo dois de
> seus servos e seu filho Isaque. Cortou lenha para
> o fogo do holocausto e partiu para o lugar que
> Deus tinha indicado.
>
> GÊNESIS 22.3

O filósofo dinamarquês Søren Kierkegaard tinha um grande apreço pela história do sacrifício de Abraão. Ele chegou a escrever um livro sobre o tema, intitulado *Temor e tremor*. O que chamava particularmente a atenção do escritor era a resposta do patriarca ao mandamento divino. Na opinião de Kierkegaard, essa resposta fazia de Abraão o mais nobre dos homens.

> **Houve quem se tornasse grande por esperar o possível, ou por esperar o eterno, mas quem esperou o impossível tornou-se maior do que todos. Houve quem fosse grande pela sua força e quem fosse grande pela sua sabedoria, e houve quem fosse grande pela sua esperança e quem fosse grande pelo seu amor; mas Abraão foi maior do que todos.**
>
> **Søren Kierkegaard[1]**

Por que o filósofo admirava tanto o patriarca? Kierkegaard disse que, embora na história da humanidade existissem outros relatos de pais que haviam aberto mão dos filhos, o caso de Abraão era diferente. Alguns homens tinham sacrificado os filhos por dever ou por resignação, ou até mesmo por egoísmo. Mas Abraão se dispôs a sacrificar Isaque pela fé.

Para sabermos o que isso significa, temos de compreender de que maneira a fé inspirou a resposta obediente de Abraão. Comentando o assunto, o apóstolo Paulo escreveu: "É por isso que a promessa vem pela fé, para que ela seja segundo a graça e, assim, alcance toda a descendência de Abraão, não somente os que vivem sob a lei, mas todos que têm fé como a que teve Abraão. Pois ele é o pai de todos que creem. Conforme aparece nas Escrituras: 'Eu o fiz pai de muitas nações'. Isso aconteceu porque Abraão creu no Deus que traz os mortos de volta à vida e cria coisas novas do nada" (Rm 4.16-17).

"Abraão creu no Deus que traz os mortos de volta à vida." Essa crença está no cerne da fé cristã. Professamos o cristianismo porque acreditamos que Deus ressuscitou Jesus dentre os mortos, e que, quando o Salvador voltar, os mortos ressuscitarão. Tal convicção nos acompanha desde a conversão. Para Abraão, contudo, tratava-se de algo novo. Até aquele momento, nenhum personagem bíblico havia ressuscitado. Então, de onde o patriarca tirou a ideia de que o Senhor traz os mortos de volta à vida? Ele chegou a essa conclusão a partir da ordem que recebeu para sacrificar seu filho.

Isso é algo notável. A experiência incomum de Abraão levou-o a novas alturas espirituais e a descobertas extraordinárias. Devemos estar cientes, entretanto, de que isso não aconteceu sem um custo. A ordem para que oferecesse seu filho em holocausto colocou um pesado fardo sobre os ombros do patriarca. Ela partiu o seu coração e deixou-o perante um terrível dilema.

Abraão enfrentou um dilema

Coloquemo-nos, por um instante, no lugar de Abraão. Tendo recebido a determinação de oferecer nosso único e amado filho em holocausto, o que poderíamos fazer? Que escolhas teríamos? Na verdade, só existiriam duas respostas que poderíamos dar ao mandado do Senhor: obedecer ou desobedecer. Tanto em um caso quanto no outro, o preço a pagar seria enorme. Em outras palavras, estaríamos face a face com um dilema.

Os dicionários ensinam que um dilema é uma situação embaraçosa que apresenta apenas duas opções, ambas difíceis ou inconvenientes, o que gera perplexidade para sua solução. Sempre que nos vemos perante duas possibilidades angustiantes e excludentes, nos deparamos com um dilema. E essa era a situação em que Abraão se encontrava.

Abraão poderia, simplesmente, ter desobedecido ao Senhor. Ele tinha liberdade para agir assim. Se dissesse "não" ao Criador, nem por isso seria fulminado por um raio. Poderia seguir em frente com a vida, mantendo a rotina de todos os dias e conservando Isaque ao seu lado. Contudo, isso equivaleria a dizer que o Todo-poderoso não era confiável. E como ele poderia assumir essa posição? Como poderia retribuir de tal forma ao Deus que tantas vezes o salvara? Que tipo de homem se tornaria? Como o patriarca conseguiria encarar os vizinhos e empregados para quem dera seu testemunho? De que jeito poderia olhar nos olhos de Isaque e dizer: "Meu filho, existe um Deus, e ele é bom"?

A verdade é que costumamos pensar no preço que Abraão se dispôs a pagar pela sua obediência, mas não nos damos conta de que o custo da desobediência seria ainda maior.

Aqueles que optam pelo caminho fácil enganam a si mesmos. Constroem sua casa sobre a areia. E, mais cedo ou mais tarde, são lançados ao chão.

Ainda assim, consideramos que o custo da obediência seria elevado para o patriarca. Significaria abrir mão do filho por quem esperara e a quem se afeiçoara. Representaria colocar em jogo a sobrevivência de sua posteridade. Como Abraão encararia Sara ao voltar para casa sem Isaque? Que explicação daria a ela? Como lidaria com sua dor? Como poderia explicar aos vizinhos pagãos o fato de ter realizado um sacrifício humano? Como seria visto pelas pessoas à sua volta? O que pensariam dele as gerações futuras?

Quando deixamos a imaginação seguir nesse rumo, pensamos que teria sido preferível, para o patriarca, ter ouvido uma sentença de morte.

Algum tempo atrás, eu estava pregando em minha igreja e fiz a seguinte pergunta aos que se achavam presentes: "Quem aqui estaria disposto a dar a sua vida para salvar alguém?". Vários irmãos e irmãs levantaram as mãos, e eu os elogiei por sua disposição generosa.

Então, segui adiante e perguntei: "E quem aqui estaria disposto a dar a vida de um filho seu para salvar outra pessoa?". Dessa vez, ninguém levantou a mão.

É disso que se trata, não é mesmo? A ordem que o Senhor deu a Abraão foi a mais difícil que qualquer ser humano poderia receber! Qualquer pai ou mãe escolheria a morte antes de ter de executar tal ato. Abraão, todavia, não tinha essa escolha. Suas opções eram obedecer ou desobedecer. Ele se viu diante do maior desafio que uma pessoa já tinha enfrentado, ou que, possivelmente, viria a enfrentar.

Abraão acreditou em uma promessa

Talvez nos sintamos desnorteados ao tentar colocar-nos no lugar de Abraão. Talvez nos descubramos confusos buscando imaginar que resposta daríamos a uma ordem semelhante. Para o patriarca, entretanto, não houve qualquer confusão. Ele sabia exatamente o que fazer. O velho homem de Deus não levantou objeções, nem pediu um tempo para pensar no assunto. Ele simplesmente obedeceu.

Tão logo o sol raiou, "Abraão se levantou cedo e preparou seu jumento. Levou consigo dois de seus servos e seu filho Isaque. Cortou lenha para o fogo do holocausto e partiu para o lugar que Deus tinha indicado" (Gn 22.3). Há de ser elogiada a pronta disposição do "Pai da fé". Ele não titubeou, não hesitou, não adiou sua decisão. Resolutamente, seguiu na direção que o Senhor lhe apontara.

Abraão sabia o que muitos ainda não aprenderam: que obediência pela metade é desobediência por inteiro. De várias maneiras, podemos considerá-lo um "antiJonas". Ao contrário do profeta rebelde que seguiu na direção oposta àquela da qual Deus lhe falara e acabou parando na barriga de um peixe, o patriarca tomou o rumo da submissão. "Muitas pessoas caminham em cima do muro espiritual da fé: acreditam em Deus, mas não o suficiente para sacrificarem sua existência confortável", escreveu Howard Hendricks. Esse não era, contudo, o caso de Abraão.

Abraão obedeceu a Deus. Isso, é claro, fala do temor que tinha pelo Senhor e da confiança que depositava nele. Mas houve um fator a mais que o sustentou em sua decisão. O patriarca acreditou que, de alguma forma, voltaria para casa com seu filho. Pensou que o Criador seria capaz, até mesmo, de restituir-lhe a vida.

Três dias após deixar o acampamento, já nas proximidades de Moriá, Abraão diria a seus empregados: "Fiquem aqui com o jumento. [...] O rapaz e eu iremos mais adiante. Vamos adorar e depois voltaremos" (Gn 22.5). *Depois voltaremos* — essa era a convicção do servo de Deus. A afirmação de que ambos regressariam não era apenas uma frase vazia. Representava a certeza que o patriarca tinha de que, independentemente do que acontecesse no alto da montanha, de alguma maneira retornaria com Isaque.

O Novo Testamento não deixa dúvidas quanto a isso. De fato, lemos na epístola aos Hebreus: "Pela fé, Abraão, ao ser posto à prova, ofereceu Isaque como sacrifício. Abraão, que havia recebido as promessas, estava disposto a sacrificar seu único filho, embora Deus lhe tivesse dito: 'Isaque é o filho de quem depende sua descendência'. Concluiu que, se Isaque morresse, Deus tinha poder para trazê-lo de volta à vida. E, em certo sentido, recebeu seu filho de volta dos mortos" (Hb 11.17-19).

Abraão acreditou que, mesmo que Isaque fosse sacrificado, Deus poderia trazê-lo de volta à vida. Como o patriarca chegou a essa conclusão? Na verdade, seu raciocínio foi bem simples. O Senhor havia prometido que ele teria uma descendência numerosa, e que essa descendência seria contada através de Isaque (Gn 17.19-21). Portanto, para que a promessa se cumprisse, Isaque não poderia partir sem deixar descendentes.

Em outras palavras, Abraão estava fazendo o que todos os que atendem ao chamado para andar com Deus devem fazer: estava se apegando às promessas do Senhor. Ele tinha consciência de que aquilo a que se agarrava era algo aparentemente impossível. Entretanto, era uma coisa que se encaixava nas promessas de Deus. E, para Deus, tudo é possível.

Essa foi a razão pela qual Kierkegaard afirmou que a obediência de Abraão repousava sobre a fé. Ele chegou até a cunhar o termo "cavaleiro da fé" para se referir ao personagem bíblico. Declarou que a sua grandeza residia não apenas no fato de ter se disposto a abrir mão do que tinha de melhor, mas também em sua convicção de que o receberia de volta. Séculos antes, um teólogo chamado Agostinho de Hipona havia chegado a uma conclusão parecida. Em seu livro *A cidade de Deus*, ele escreveu:

> Certamente que Abraão jamais acreditaria que Deus se compraz com vítimas humanas. Todavia, perante uma ordem divina, deve-se obedecer e não discutir. Mas a verdade é que Abraão deve ser louvado por ter imediatamente acreditado que seu filho haveria de ressuscitar depois de ter sido imolado. Esse pai piedoso, agarrando-se fielmente à promessa que se havia de cumprir precisamente naquele que Deus mandava sacrificar, não duvidou de que o imolado lhe poderia ser restituído por quem o dera quando não era esperado.
>
> Agostinho de Hipona[2]

E de que maneira a experiência de Abraão pode ajudar-nos em nossos dilemas pessoais? Bem, ele não foi o único a receber uma promessa do Senhor. Existem mais de 8.500 promessas registradas na Bíblia. E, dessas, mais de 7.500 são promessas feitas por Deus. Elas são como os pinos que os alpinistas fixam nas rochas a fim de escalar os paredões verticais. Sustentam-nos. Amparam-nos. Ajudam-nos a transpor os obstáculos e a alcançar a vitória.

Se acreditarmos nas promessas divinas como Abraão o fez, edificaremos nossa vida sobre uma base sólida. A fé raramente envolve escolhas fáceis. Nosso Pai celestial, porém, nos auxilia na dificuldade. "Ele nos deu grandes e preciosas promessas" (2Pe 1.4). O Senhor é fiel. Ele faz o que diz e cumpre o que promete. Sempre estaremos seguros se nos guiarmos por sua Palavra, lembrando-nos de que ter fé não é simplesmente acreditar na existência de Deus, mas confiar nele.

Abraão creu contra a esperança

Segundo o texto de Hebreus mencionado há pouco, "Abraão, ao ser posto à prova, ofereceu Isaque como sacrifício". Ainda de acordo com o mesmo texto, o patriarca, "em certo sentido, recebeu seu filho de volta dos mortos". Isso mostra com que seriedade o servo de Deus encarou sua prova.

De certa forma, Isaque estava morto quando deixou o acampamento ao lado do pai. O sacrifício não chegou a ser consumado no cume do Moriá; mas, no coração de Abraão, ele o foi. O patriarca estava disposto a ir até o fim. Ele não sabia que o Senhor interromperia sua ação, embora acreditasse que poderia ressuscitar Isaque. De um modo diferente do que Abraão imaginara, a promessa se cumpriu. Ele regressou para casa com o filho amado. E considerou, a partir de então, que o tinha recebido de volta dos mortos.

Foi por isso que Paulo escreveu que "Abraão creu no Deus que traz os mortos de volta à vida e cria coisas novas do nada" (Rm 4.17). E o apóstolo seguiu em frente, afirmando: "Mesmo quando não havia motivo para ter esperança, Abraão a manteve" (Rm 4.18). Ou, como lemos em outras versões, "Abraão, em esperança, creu contra a esperança".

O que a Bíblia quer dizer quando declara que "Abraão, em esperança, creu contra a esperança"? Comentando essa passagem, João Calvino lembra que Paulo usa o termo esperança duas vezes na mesma sentença. "No segundo caso, significa esperança que pode originar-se da natureza e da razão carnal; no primeiro, refere-se à fé, que é dom de Deus."

Parece, então, que existem dois tipos de esperança. Podemos chamá-las de "esperança natural" e "esperança espiritual". Naturalmente, Abraão não tinha motivos para acreditar que poderia ser pai depois que ele e Sara se tornaram velhos, nem tampouco para crer que um filho morto pudesse ressuscitar. Espiritualmente, no entanto, ele contava com as promessas do Senhor, e por isso escolheu confiar.

Ter esperança é algo muito importante. Na mitologia grega, a esperança foi a única coisa que ficou na caixa de Pandora depois dos males serem liberados no mundo. Por meio dessa lenda, os antigos queriam ensinar que a esperança é algo essencial para a vida. Mas... o que acontece quando a esperança acaba? Alguém desesperado pode ferir seus semelhantes. Acima de tudo, porém, pode ferir a si mesmo. Sem esperança desistimos das lutas e dos sonhos, mergulhamos na depressão, e até nosso sistema imunológico é abalado.

Às vezes a esperança natural chega ao fim porque, humanamente falando, não temos mais razões para continuar acreditando. Todavia, Abraão não deixou de acreditar. Mesmo quando não havia motivo para conservar a esperança, ele a manteve. E precisamos fazer o mesmo se quisermos ser considerados seus filhos na fé.

Quando as lutas se tornam grandes e as tribulações parecem erguer-se acima das nossas forças, precisamos crer contra a esperança. Alguém já disse que "a fé é assim: primeiro você coloca o pé; depois Deus coloca o chão". Isso é exercitar a esperança espiritual, isso é ter a fé de Abraão. E assim como ele venceu, nós também podemos vencer. Para que isso aconteça, temos de ir além da esperança natural.

A esperança natural baseia-se nas circunstâncias; a esperança espiritual baseia-se na Palavra de Deus. A esperança natural tem por referência as experiências vividas; a esperança espiritual tem por referência as promessas do Senhor. A esperança natural é horizontal; a esperança espiritual é vertical. A esperança natural enxerga o que está diante dos olhos; a esperança espiritual vê o invisível. A esperança natural pode acabar em decepção; a esperança espiritual jamais decepciona. A esperança natural pode ser chamada de expectativa; a esperança espiritual pode ser chamada de certeza. A esperança natural é boa; a esperança espiritual é melhor. A esperança espiritual vai além da esperança natural, e até mesmo contra ela. A esperança natural é a última que morre; a esperança espiritual não morre nunca.

Por causa do poder, do amor e da fidelidade do Senhor, sempre é possível ter esperança. Muitas pessoas desistem das lutas e dos sonhos. Contudo, existe um Deus que traz os mortos de volta à vida e cria coisas novas do nada. Para ele, nada é impossível.

No livro bíblico de Lamentações, encontramos o profeta Jeremias arrasado devido à destruição de Jerusalém. Ele retrata o terrível estado em que se encontra, e derrama-se em lágrimas perante o cativeiro de Judá. Então, a certa altura, afirma: "Ainda ouso, porém, ter esperança quando me recordo disto: O amor do Senhor não tem fim! Suas misericórdias são inesgotáveis. Grande é sua fidelidade; suas misericórdias se renovam cada manhã. Digo a mim mesmo:

'O Senhor é minha porção; por isso, esperarei nele!'. O Senhor é bom para os que dependem dele, para os que o buscam. Portanto, é bom esperar em silêncio pela salvação do Senhor" (Lm 3.21-26).

O profeta havia olhado para as circunstâncias, e perdido toda a esperança natural. Mas em seguida olhou para Deus, e abraçou a esperança espiritual. O tempo se encarregou de mostrar que aquela tinha sido uma escolha acertada. Contra todas as expectativas, os judeus voltaram do cativeiro, e Jerusalém foi reconstruída.

Assim como Abraão e Jeremias, podemos olhar para Deus, e crer contra a esperança. Podemos nos lembrar que o Senhor é fiel e, assim, avançar pela fé. A Bíblia diz que Jesus Cristo veio para possibilitar nossa esperança (1Pe 1.3). Ela também afirma que na esperança somos salvos (Rm 8.24). Portanto, temos de aceitar o desafio e crer.

***

"A vida é composta de dez por cento do que acontece a você, e noventa por cento de como você reage ao que lhe acontece", afirmou Robert Schuller. Isso significa que as respostas que dermos às questões com as quais tivermos de lidar serão determinantes para o resultado de nossa jornada neste mundo. Abraão decidiu dar uma resposta de fé. Que resposta daremos nós?

Às vezes nos deparamos com ordens desconcertantes, dilemas angustiosos e provações excruciantes. Em conjunturas assim, o que devemos fazer? Observando o exemplo de Abraão e de outros personagens bíblicos, somos capazes de enxergar respostas certas para as questões mais difíceis. Eis algumas delas:

1. *Exponhamos nossa aflição perante o Pai.* Não ocultemos dele o que se passa em nosso coração. Se for para chorar, choremos ao pé da cruz. No Getsêmani, Cristo derramou sua alma diante de Deus. Não precisamos tentar esconder nossos sentimentos daquele que nos conhece e que tanto se importa conosco.

2. *Depositemos nossa confiança no Senhor.* No campo de batalha, Davi não olhou para si nem para o gigante chamado Golias: ele olhou para Deus. Não importa se nosso gigante se chama Doença, Solidão, Desapontamento ou Ansiedade. Crer contra a esperança significa pôr os olhos no que é eterno. Significa colocar a confiança naquele que é maior do que nós.

3. *Prossigamos com fé em Deus.* Uma vez que tenhamos tomado a decisão de crer, devemos nos mover segundo essa decisão. Ester sabia que poderia ser morta se abordasse o rei sem ser chamada. Ainda assim, depois de orar e jejuar, ela adentrou o palácio. Precisamos nos lembrar da escolha que fizemos e, então, caminhar de acordo com ela.

Se dermos esses passos, estaremos seguindo na direção correta e mantendo a atitude adequada. Estaremos em condição de viver as maiores aventuras, certos da vitória final. Teremos uma base sólida sobre a qual nos manter. Possuiremos um referencial seguro pelo qual nos guiar. E nossos olhos verão aquilo que Deus reservou para nós.

Em 1914, o explorador Ernest Shackleton partiu da Inglaterra a fim de realizar algo inédito: cruzar a Antártida de um extremo ao outro passando pelo Polo Sul. As coisas, porém, não correram como ele planejara. Seu navio, o *Endurance*, ficou preso no gelo e acabou sendo esmagado. Isso deixou os tripulantes numa situação desesperadora.

Corajosamente, Shackleton e outros cinco exploradores embarcaram em um pequeno bote salva-vidas e partiram em busca de ajuda. Eles enfrentaram uma viagem de 1.200 quilômetros através de ondas enormes, ventos implacáveis e temperaturas congelantes. Para orientar-se, dispunham tão somente de uma bússola.

Contrariando as probabilidades, o grupo conseguiu alcançar a ilha Geórgia do Sul. Ali Shackleton adquiriu outro navio e seguiu para resgatar os náufragos do *Endurance*. Quando eles chegaram em segurança à Inglaterra, foram recebidos como heróis. Apesar de não terem alcançado o objetivo inicial, foram aplaudidos por sua perícia e bravura.

Em alguns momentos, também nos vemos diante de situações extremas. Esmagados por dissabores e preocupações, chegamos a temer por nossa vida e pela felicidade dos que amamos. Nessas horas, tomar decisões sábias revela-se fundamental. E assim como uma bússola foi capaz de guiar os exploradores através das águas revoltas, a Palavra de Deus tem poder para nos orientar rumo a um porto seguro.

Seremos sábios se nos inspirarmos em Abraão e seu exemplo. "A confiança é o ingrediente mais importante na construção de um relacionamento, e isso é verdade não apenas entre as pessoas, mas também em um relacionamento com Deus", escreveu Rice Broocks. O fato é que podemos, simplesmente, confiar no Senhor. Podemos nos guiar por suas promessas, em vez de deixar que nossas dúvidas e as opiniões das pessoas ditem nossa rota e nos ponham a perder. É isso o que significa prevalecer pela fé.

6
Três dias silenciosos

No terceiro dia da viagem, Abraão levantou os olhos
e viu o lugar de longe.

Gênesis 22.4

Há pouco tempo, eu estava conversando com uma irmã em Cristo que passava por dificuldades. Após muitos anos lutando com problemas de saúde, sentia que havia chegado ao limite de suas forças. "O pior de tudo é que tenho a sensação de que Deus não me escuta", disse ela. "Faço as minhas orações, mas o céu permanece em silêncio. Por que Deus não me responde? Será que ele se esqueceu de mim?"

Quando se trata de passar por provas e vencê-las, poucos desafios se mostram tão grandes quanto lidar com o silêncio de Deus. As maiores vitórias só são alcançadas mediante a perseverança, mas nós, seres humanos, não somos muito bons em perseverar. Facilmente nos esquecemos das decisões que tomamos e das batalhas que vencemos. Quando as bênçãos demoram a chegar, somos invadidos pela dúvida.

Ao passar por seu grande teste, uma dificuldade adicional com a qual Abraão se deparou foi o tempo decorrido entre a ordem recebida e o momento de cumpri-la. Moriá ficava a três dias de caminhada de Berseba, e, durante todo o tempo da viagem, Deus se manteve calado. Os angustiantes dias de jornada esticaram as fibras espirituais do patriarca até seu limite. Essa é uma parte importante da história. Ela nos ensina a lidar com os instantes em que os céus ficam mudos e somos tentados a acreditar que Deus se esqueceu de nós.

Um tempo de provação e de espera

Assim que escutou a voz de Deus, Abraão, pela fé, se dispôs a obedecer. Ele se levantou cedo, albardou o jumento, cortou a lenha e preparou o fogo. Acompanhado de Isaque e de dois servos, partiu para o lugar que o Senhor lhe indicara. Moriá ficava ao norte de Berseba, a aproximadamente cem quilômetros de distância. Era uma jornada acidentada. Eles teriam de passar por terrenos áridos e escarpados até chegar ao local determinado.

O percurso durava três dias, e bem podemos imaginar como esse tempo foi penoso para Abraão. Se a ordem divina demandasse uma execução imediata, as coisas, teoricamente, teriam sido mais simples. Teriam sido como arrancar, de um único puxão, um esparadrapo agarrado à pele. "Vamos acabar logo com isso", poderia dizer alguém em situação parecida. Todavia, Deus não deu essa opção a Abraão. Ele precisaria caminhar cem quilômetros antes de oferecer o filho em holocausto. Teria de guardar, por três dias, o seu doloroso segredo.

Cada detalhe do mandamento divino parecia ter como objetivo tornar o teste mais difícil. Os dias que o patriarca passou caminhando lhe deram muito tempo para pensar. Eles martelaram em sua mente todos os questionamentos possíveis, agitaram em seu peito toda sorte de emoções. Como ele deve ter desejado dar meia-volta! Entretanto, o servo de Deus seguiu em frente, quase esmagado pelo terrível fardo que tinha de carregar.

> Abraão caminhou três dias, tempo suficiente para nutrir dúvidas, buscar rotas de fuga e entregar-se a racionalizações e desculpas; tempo bastante para que a incredulidade sussurrasse em seus ouvidos muitos pensamentos dissuasivos; foi tempo bastante longo para que o amor pelo filho suplantasse o amor por Deus. Mas Abraão persistiu... persistiu em obedecer.
>
> Hernandes Dias Lopes[1]

Acredito que não tenha havido muita conversa ao longo do caminho para Moriá. Isaque e os empregados devem ter visto que Abraão se mostrava calado e introspectivo. Eles respeitaram o estado de ânimo do patriarca e evitaram fazer perguntas. Porém, o silêncio não era somente de Abraão. Deus também não disse uma única palavra. Depois de ordenar que Isaque fosse sacrificado, não se pronunciou novamente.

Não é fácil, para nós, lidar com o silêncio do Senhor e com o tempo necessário para que as promessas se cumpram. Abraão, contudo, teve de se haver com ambos. O bom homem já havia demonstrado sua fé aguardando vinte e cinco anos pelo nascimento de Isaque. Agora, precisaria tornar a mostrá-la esperando três dias para saber o que aconteceria ao filho querido. Durante esse período, não contaria com nenhum pronunciamento divino para ampará-lo.

"Grandes corações só podem ser forjados por grandes tribulações", afirmou Charles Spurgeon. A palavra "tribulação" vem do latim *tribulum*, uma espécie de trenó de madeira que era usado pelos antigos agricultores. Sob o trenó eram colocadas pontas de ferro ou pedras afiadas. Assim, à medida que a ferramenta era puxada sobre o trigo espalhado na eira, ia separando a palha dos grãos. Da mesma forma, o Senhor permite que passem sobre nós os crivos da provação, a fim de que sejamos aperfeiçoados.

Não gostamos de sofrer nem de esperar, mas é nessas condições que Deus faz algumas de suas melhores obras em nossa alma. Tal qual Abraão, passaremos por provas em algum momento. Assim como ele, teremos de lidar com o silêncio dos céus. Mas nossa dor será menor se nos lembrarmos de que para tudo há um propósito. Recobraremos o ânimo se recordarmos que as "aflições pequenas e momentâneas que agora enfrentamos produzem para nós uma glória que pesa mais que todas as angústias e durará para sempre" (2Co 4.17).

Quando Deus se oculta

Assim como aconteceu com Abraão, muitos daqueles que se tornaram íntimos do Senhor relataram ter passado por instantes em que os céus ficaram mudos. Eles se referiram a esses momentos como os pontos mais árduos de sua caminhada espiritual. "De fato, ó Deus de Israel, nosso Salvador, tu ages de formas misteriosas", escreveu Isaías (45.15). Certas versões traduzem o versículo da seguinte maneira: "Verdadeiramente tu és um Deus que te ocultas, ó Deus de Israel, o Salvador".

Não é nada fácil, para um Deus tão grande, ocultar-se... e, ainda assim, o nosso Pai celestial é capaz de fazê-lo. De acordo com sua vontade, ele se revela a nós... e, também segundo o seu querer, pode se esconder no silêncio. "Até quando, SENHOR, te esquecerás de mim? Será para sempre? Até quando esconderás de mim o teu rosto? Até quando terei de lutar com a angústia em minha alma, com a tristeza em meu coração a cada dia?", perguntou Davi (Sl 13.1-2).

De forma parecida, Jeremias disse ao Senhor: "Por que, então, continuo a sofrer? Por que minha ferida não tem cura? Teu socorro parece incerto como um riacho inconstante; é como uma fonte que secou" (Jr 15.18). E todos nos recordamos de que, suspenso na cruz, "Jesus clamou em alta voz: '*Eli, Eli, lamá sabactâni*?', que quer dizer: 'Meu Deus, meu Deus, por que me abandonaste?'" (Mt 27.46).

Na tradição cristã, homens e mulheres de fé também registraram experiências de um aparente distanciamento de Deus. João da Cruz, místico espanhol do século 16, chegou até a criar um termo para referir-se a esse trecho sombrio da jornada espiritual. Ele o chamou de "a noite escura da alma". Desde então, a expressão passou a ser usada para se referir àqueles instantes em que as preces parecem não ser ouvidas, e a esperança dos fiéis oscila como uma chama prestes a se apagar.

Cristãos que passaram pela "noite escura da alma" descrevem-na como um tempo de angústia e aflição. Os céus em cima parecem ser feitos de bronze, e a terra embaixo, de ferro. As orações ficam insípidas, a leitura das Escrituras se torna árdua e a alegria da adoração desaparece. Às vezes, esse momento de aridez espiritual é acompanhado de adversidades, tornando o teste mais rigoroso. Teresa de Ávila, outra mística espanhola do século 16, relatou ter se agastado tanto numa dessas circunstâncias que perguntou ao Criador: "Por que me tratas dessa maneira?". "É desse modo que trato os meus amigos", Deus teria lhe dito. Numa sinceridade beirando as raias da malcriação, Teresa respondeu: "Bem, Senhor, não me admira que eles sejam tão poucos".

Abraão foi chamado de "amigo de Deus" (Is 41.8; Tg 2.23). Ainda assim, ele precisou lidar com o silêncio do Todo-poderoso. Como uma noite escura, a aflição se derramou sobre ele, e o patriarca teve de seguir em frente sem escutar a voz de seu grande Amigo. Mas isso serve para lembrar-nos de que o amor de Deus por nós não pode ser aferido pelas circunstâncias. A única régua capaz de medi-lo é a régua da cruz.

Sim, os amigos de Deus também enfrentam horas escuras. Eles também atravessam o vale da sombra da morte. Eles também têm de lidar com o silêncio dos céus. Contudo, isso não quer dizer que foram esquecidos. Significa, apenas, que estão passando por uma prova. Deus nos submete a testes visando sempre o nosso benefício. E, como já disse alguém, "na hora da prova, o professor fica em silêncio".

Como lidar com o silêncio de Deus?

Ao refletir sobre esse assunto, perguntamo-nos: Como podemos agir corretamente quando os céus guardam silêncio? Se pelo menos soubéssemos o que está acontecendo lá em cima! Nesse caso, talvez a espera não nos afligisse tanto. Se os hebreus tivessem ciência de que, no alto do Sinai, Moisés recebia os dez mandamentos, talvez não tivessem feito o bezerro de ouro. Se as multidões soubessem que, no cume do monte, Jesus se transfigurava perante os discípulos, talvez não houvessem ficado tão alvoroçadas com um menino endemoninhado.

É por isso que tenho um especial carinho pelo texto de Apocalipse 8.1-6. Na ilha de Patmos, João recebeu muitas visões, que vieram a compor o último livro da Bíblia. E numa visão em particular foi mostrado ao apóstolo algo muito importante: o que acontece no céu quando ele está em silêncio. Se tivermos em mente aquilo que João viu e nos lembrarmos disso em nossos momentos de provação, não cairemos nos erros da precipitação e do desespero.

O que foi revelado a João?

"Quando o Cordeiro abriu o sétimo selo, houve silêncio no céu por cerca de meia hora", disse o autor inspirado (Ap 8.1). Isso é algo particularmente notável, porque, no livro de Apocalipse, o céu é apresentado como um local sempre cheio de vozes. Nele lemos sobre louvores, trovões, brados e exclamações. Ainda assim, João afirmou que quando Cristo abriu o último selo houve silêncio no céu por aproximadamente meia hora. Isso nos ensina que, por maior que seja nossa intimidade com o Senhor, haverá momentos em que encontraremos o céu em silêncio. É algo que faz parte da caminhada. É uma página do livro que Deus está escrevendo.

"Vi os sete anjos que estão em pé diante de Deus, e a eles foram dadas sete trombetas", continuou o apóstolo (Ap 8.2). Constatamos assim que os instantes silentes do céu não são uma indicação de inatividade, mas de cuidadosa preparação. Os anjos recebem trombetas, e, no livro de Apocalipse, elas são símbolo de proclamações e milagres. Nesse momento os anjos se comportam como uma orquestra se preparando para o início de um concerto. Do mesmo modo que os minutos que antecedem uma apresentação musical, esses instantes de silêncio são muito eloquentes. Eles indicam que em breve uma estupenda sinfonia se fará ouvir.

"Então veio outro anjo com um incensário de ouro e ficou em pé junto ao altar. Recebeu muito incenso para misturar às orações do povo santo como oferta sobre o altar de ouro diante do trono. A fumaça do incenso, misturada às orações do povo santo, subiu do altar onde o anjo havia derramado o incenso até a presença de Deus" (Ap 8.3-4). Agora, João nos ensina que nas horas em que Deus não fala conosco, ele está nos escutando. O incenso é símbolo das orações, e, de acordo com o texto, elas chegam à presença do Senhor. É por isso que jamais podemos deixar de orar. Porque mesmo que o Todo-poderoso não esteja falando, ele certamente está ouvindo. Nossas preces estão subindo aos céus.

"Então o anjo encheu o incensário com o fogo do altar e o lançou sobre a terra, e houve trovões, estrondos, relâmpagos e um grande terremoto" (Ap 8.5). A essa altura, o autor bíblico nos dá uma informação curiosa, porém verdadeira: quando há silêncio no céu, ouve-se barulho na terra! Em resposta às orações de seus servos, Deus já começa a agir. Essa ação a princípio poderá assustar-nos, ou, até mesmo, não parecer estar associada a nossas preces. Contudo, se tivermos discernimento, nos daremos conta de que o Senhor já começou a operar. Perceberemos que a terra está sendo abalada porque os céus foram tocados.

"Em seguida, os sete anjos com as sete trombetas se prepararam para tocá-las", arrematou João (Ap 8.6). E tudo o que se segue nos próximos versículos vem como conteúdo da revelação dessas trombetas, vem como resposta às orações do povo santo do Senhor. O primeiro anjo toca e as muralhas caem, os inimigos fogem, as ameaças se esvaem e as promessas se cumprem. E enquanto ainda ressoa no espaço o acorde vigoroso da primeira trombeta, o segundo anjo toca o seu instrumento, anunciando a chegada de novas bênçãos. E em seguida toca o terceiro anjo, e o quarto, e o quinto, e o sexto, até o sétimo. O silêncio no céu chega ao fim com um concerto ensurdecedor.

O que aprendemos, então, por meio dessa visão? Que nas horas em que o céu está calado grandes coisas são preparadas, as orações são recebidas e que, embora a terra se agite, o socorro certamente vem. Se recordarmos essas verdades, encontraremos força para seguir adiante nos momentos difíceis. Não deixaremos de orar, de trabalhar ou de confiar. E assim, pela graça de Deus, alcançaremos a vitória, em nome de Jesus.

A verdade é que, ainda que nos deparemos com dias silenciosos e escuros, o Senhor jamais se esquecerá de nós. Ele não fechará os olhos à aflição de seus filhos. Ele não tapará os ouvidos a suas preces. Nas horas de adversidade, precisamos erguer a visão acima dos acontecimentos e, pela fé, enxergar aquilo que João viu quando se achava exilado por amor do evangelho. A vitória pertence ao Senhor. Na hora certa, as trombetas tocarão.

Entre a crucificação e a ressurreição: três dias silenciosos

Até aqui, como temos lidado com a história do sacrifício de Abraão? Nós a temos examinado como o relato de uma prova registrada nas páginas das Escrituras visando reanimar os corações atribulados. Contudo, há algo mais relacionado a esse episódio.

Os fatos narrados em Gênesis 22.1-19 estão revestidos de um profundo significado profético. Eles apontam para a vida e o ministério de Jesus Cristo. Nos capítulos que se seguirão, examinaremos mais detalhadamente esse aspecto da narrativa. Mas já aqui ele se apresenta a nós, por meio de uma semelhança que vai além da mera coincidência.

Profeticamente, os três dias de silêncio com os quais Abraão teve de lidar encontram seu correlato no Novo Testamento. Quando Jesus morreu, os discípulos também passaram três dias sem saber o que aconteceria a seguir. Eles se depararam com o mesmo tempo de escuridão e incertezas. Pois "Cristo morreu por nossos pecados, como dizem as Escrituras. Ele foi sepultado e ressuscitou no terceiro dia, como dizem as Escrituras" (1Co 15.3-4).

O Salvador já tinha afirmado que três dias separariam a ocasião de sua aparente derrota de seu momento de incontestável triunfo: "Assim como Jonas passou três dias e três noites no ventre do grande peixe, o Filho do Homem ficará três dias e três noites no coração da terra" (Mt 12.40). Ele buscou preparar os apóstolos, dizendo-lhes: "Estamos subindo para Jerusalém, onde tudo o que foi escrito pelos profetas a respeito do Filho do Homem se cumprirá. Ele será entregue aos gentios, e zombarão dele, o insultarão e cuspirão nele. Eles o açoitarão e o matarão, mas no terceiro dia ele ressuscitará" (Lc 18.31-33).

As palavras do Mestre, contudo, não foram entendidas prontamente por seus seguidores. A Bíblia diz que "o significado dessas palavras lhes estava oculto, e não sabiam do que ele falava" (Lc 18.34). Foi somente ao contemplar o Cristo ressuscitado que puderam compreender o plano de Deus. "Então ele lhes abriu a mente para que entendessem as Escrituras, e disse: 'Sim, está escrito que o Cristo haveria de sofrer, morrer e ressuscitar no terceiro dia'" (Lc 24.46).

Por não terem a princípio compreendido as palavras do Filho de Deus, os discípulos amargaram três dias de grande angústia. Eles haviam colocado todas as suas esperanças em Jesus, crendo que ele era o Messias prometido. Haviam deixado tudo para segui-lo, entendendo que essa era a vontade do Senhor. Então, de uma forma violenta e trágica, seu Mestre foi traído, preso, crucificado e morto. Nada parecia fazer sentido.

Cheios de medo e de vergonha, os discípulos passaram juntos as horas que separaram a sexta-feira da Paixão do domingo de Páscoa. O coração deles estava cheio de dúvidas, e eles devem ter endereçado aos céus muitas perguntas. Deus, porém, nada lhes respondeu. Durante todo aquele tempo, parecia que o mal havia vencido o bem, que as trevas tinham prevalecido contra a luz, e que a esperança havia chegado ao fim.

Então, veio o alvorecer do terceiro dia, e o Senhor ressuscitado se mostrou às mulheres que tinham ido até o sepulcro. Na noite de domingo, ele se apresentou aos apóstolos e lhes disse: "Paz seja com vocês!" (Jo 20.21). E nessa hora toda a treva foi dissipada, as dúvidas cessaram, o silêncio se desfez. A prova havia chegado ao fim. Os seguidores do Redentor passaram a tê-lo, sempre, ao seu lado. Puderam ter a alegria de ouvir sua voz até a consumação dos séculos, falando ao coração deles.

E é por isso que sabemos que nossos dias silenciosos podem ser superados. Aconteceu com Abraão e com os discípulos, e também acontecerá conosco. Se os céus estiverem mudos, isso não durará para sempre. Se as trevas nos envolverem, é certo que chegarão ao fim. "O choro pode durar toda a noite, mas a alegria vem com o amanhecer", escreveu Davi (Sl 30.5). Para cada sexta-feira da Paixão há um domingo de Páscoa. Para cada pausa na sinfonia celestial há um concerto de anjos. E para cada tempo de luta há um dia de vitória, pela graça do Senhor.

* * *

A exemplo de Abraão, os apóstolos e tantos outros, nós estamos sujeitos a provas. Enfrentamos dias bons e maus, e nos deparamos com instantes em que os céus emudecem. A reação instintiva do ser humano em tais situações é associar o silêncio celestial a um distanciamento de Deus. Contudo, o que acontece é, na verdade, o oposto disso. Os testes a que somos submetidos servem para o fortalecimento da nossa fé. Eles nos conduzem a uma proximidade ainda maior com o Senhor.

Cada vez que a minha fé é provada,
Tu me dás a chance de crescer um pouco mais.
As montanhas e vales, desertos e mares
Que atravesso me levam pra perto de ti.

Comunidade Evangélica Internacional da Zona Sul[2]

Enquanto caminhamos por esse trecho acidentado da estrada que conduz à eternidade, vamos aprendendo a estabelecer as prioridades corretas, a desenvolver resiliência e a confiar no Criador. Vamos nos tornando mais compassivos com os que sofrem e mais pacientes com os que hesitam. Vamos sendo lapidados e polidos. Vamos sendo transformados em pessoas melhores.

A cada passo que damos por essa vereda escura, costumamos apurar os ouvidos, aguardando uma palavra que nos encoraje e direcione. Porém, às vezes o silêncio faz parte do teste. Quando esse é o caso, devemos nos firmar naquilo que ouvimos anteriormente. Temos de recordar as promessas do nosso Pai celestial e trazer à memória os livramentos do passado. Precisamos acreditar que o seu amor não falha.

A maioria das tribos indígenas possui um ritual de passagem, e o rito dos índios cherokees, nos Estados Unidos, é dos mais interessantes. De acordo com a tradição da tribo, quando cada menino atinge certa idade, precisa provar seu valor. Acompanhado do pai e dos guerreiros da tribo, ele deve ir até o alto de uma montanha e sentar-se na borda de um precipício. Em seguida seus olhos são vendados, e os adultos vão embora. O garoto deve passar toda a noite ali, sem tirar a venda. Se conseguir, será considerado um homem. Se tirar a venda e desistir, terá fracassado.

Por toda a noite, o rapazinho tem de lidar com o medo e a solidão. Ele sabe que animais selvagens são capazes de atacá-lo. Sabe que, se pegar no sono, pode cair do penhasco. Ainda assim, leva o teste adiante, porque deseja ser considerado um verdadeiro cherokee. Por isso, enquanto o frio da madrugada o castiga e ruídos ameaçadores o perturbam, ele continua sentado à beira do abismo, aguardando o amanhecer.

Finalmente a alvorada chega, e o sol aquece seu corpo. O menino entende que sua provação chegou ao fim. Ele percebe que sobreviveu ao rito de passagem e provou sua coragem. Agora, pode considerar-se um bravo guerreiro, como todos os adultos da tribo. Numa mistura de alívio e de felicidade, ele retira a venda. E, nesse momento, a primeira coisa que vê lhe causa grande surpresa. Ali, sentado ao seu lado, está seu pai. Ele havia passado toda a madrugada naquele lugar. Silenciosamente, tinha vigiado para que nada de mal lhe acontecesse. Havia cuidado dele a noite inteira. Ele jamais estivera só.

Podemos estar certos de uma coisa: o nosso Pai celestial vela por nós em instantes de provações. Nunca ficamos realmente sozinhos. Os dias de silêncio não são momentos em que somos esquecidos, e sim ocasiões em que somos conduzidos a maiores alturas espirituais. Deus nos aceita como somos; ao mesmo tempo, ele nos ama demais para nos deixar como estamos. É por essa razão que somos provados. Mas é por esse motivo, igualmente, que sabemos que tudo acabará bem.

7
Subindo o Moriá

> Olho para os montes e pergunto:
> "De onde me virá socorro?".
> Meu socorro vem do Senhor,
> que fez os céus e a terra!
>
> Salmos 121.1-2

"Grandes coisas acontecem quando homens e montanhas se encontram", escreveu o poeta inglês William Blake. Ao que parece, homens e montanhas se encontraram repetidas vezes na Bíblia, sempre com resultados impactantes. Foi assim com Moisés no Sinai, com Elias no Carmelo, com Jesus no Calvário. E foi assim com Abraão em Moriá.

O lugar para onde o Senhor enviou seu servo ficava cem quilômetros ao norte do ponto onde Abraão tinha estabelecido acampamento, na região elevada central da Palestina. Após três dias de viagem, a área finalmente pôde ser avistada. O patriarca disse aos servos que esperassem até que ele e o rapaz voltassem do lugar do sacrifício. Em seguida, pôs a lenha para o holocausto sobre os ombros de Isaque, enquanto tomava nas próprias mãos o fogo e a faca. E, então, começaram a subir em direção ao topo.

A palavra "Moriá" é usada no Antigo Testamento em dois sentidos. No primeiro deles, designa uma região montanhosa, a "terra de Moriá", onde se acha edificada a cidade de Jerusalém e seus arredores. No segundo sentido, a palavra identifica um outeiro específico, o "monte Moriá", sobre o qual o templo foi construído. Moriá, portanto, é tanto uma área quanto uma colina que faz parte dela.

A região ganhou importância na história do povo de Deus. Cerca de oitocentos anos depois da morte de Abraão, "Salomão começou a construir o templo do Senhor em Jerusalém, no monte Moriá, onde o Senhor havia aparecido a seu pai, Davi. O templo foi construído na eira de Araúna, o jebuseu, o local escolhido por Davi" (2Cr 3.1-2). Assim, o lugar onde Isaque quase foi sacrificado tornou-se o centro das peregrinações de Israel.

Em Gênesis 22.2 está registrado que Deus ordenou a Abraão que levasse Isaque à terra de Moriá e que ali o oferecesse como oferta queimada sobre uma das colinas. Em 2Crônicas 3.1-2 se diz que o local do templo de Salomão era o monte de Moriá, na eira de Ornã, o jebuseu, onde Deus aparecera a Davi. No livro de Gênesis o lugar em foco não é um "monte Moriá", mas um dentre diversos montes numa terra desse nome, e as colinas sobre as quais Jerusalém está edificada são visíveis à distância. Assim, não há necessidade de duvidarmos que a experiência de Abraão teve lugar no local que posteriormente foi Jerusalém, ou, mais exatamente, na colina do templo.

J. D. Douglas[1]

Moriá foi o cenário de alguns dos acontecimentos mais marcantes registrados na Bíblia. Dessa maneira, adquiriu um profundo significado histórico, e também simbólico. A própria palavra que designa o local é bastante expressiva.

Ela é formada a partir da junção de três termos hebraicos: *Men* (que quer dizer "lugar"), *ra'ah* (que quer dizer "ver") e *Yah* (uma forma abreviada de *Yahweh*). Pode-se afirmar, então, que a melhor tradução para *Moryah* é "lugar onde se vê o Senhor".

Moriá foi uma montanha que Abraão teve de subir, cheio de angústia e preocupação, a fim de obedecer ao mandado de Deus. Também foi o local onde viveu a maior experiência de sua vida e alcançou uma retumbante vitória. Em um sentido simbólico, Moriá é o lugar para onde o Senhor nos envia com o objetivo de nos provar e de se revelar a nós. Em algum momento de nossa caminhada espiritual, todos precisaremos passar por lá. A fé remove montanhas. Mas algumas montanhas não têm de ser removidas, e sim escaladas.

Quando escalamos o nosso Moriá pessoal — talvez cheios de sobressaltos e inquietações —, sabemos que estamos vivendo uma experiência que nos marcará para sempre. A subida do Moriá é um trecho decisivo na jornada dos filhos de Deus. Ele pode chegar na forma de um problema de saúde, de uma crise familiar, de dificuldades financeiras ou de qualquer outra situação excepcional. Que papel esse ponto de inflexão desempenhará em nossa trajetória de fé? A partir dos significados históricos e simbólicos da narrativa bíblica, podemos afirmar que Moriá assume, na vida do cristão, diferentes aspectos.

Moriá é lugar de entrega

Abraão subiu o Moriá sabendo que precisaria deixar algo lá em cima, e o mesmo acontece conosco quando nos deparamos com os momentos decisivos da existência. O Senhor requer de nós um sacrifício. Não existe discipulado sem renúncia, assim como não há cristianismo sem cruz. Se quisermos seguir fielmente ao Salvador, teremos de abrir mão de coisas (e, às vezes, de pessoas) que são muito caras para nós.

Essa é uma verdade que parece esquecida pelos cristãos modernos, embora estivesse muito clara para os servos de Deus de outras gerações. Por amor a Jesus, muitos renunciaram a seus bens e relacionamentos, e não raramente a sua vida. Ainda hoje, nos lugares onde o evangelho é perseguido ou onde pregadores se esforçam para levar a Palavra de Deus, o custo da obediência claramente se impõe.

A letra de um antigo hino diz: "Tudo entregarei, tudo entregarei; sim, por ti, Jesus bendito, tudo deixarei". São palavras que devem ser pronunciadas com sinceridade e cuidado. Não é fácil abrir mão daquilo a que nos agarramos e viver na absoluta dependência do Senhor. Mas é isso, exatamente, o que ele requer de nós.

Adoniram Judson foi um missionário americano que dedicou sua vida à evangelização da Birmânia no século 18. Antes de viajar para o campo missionário, desejou casar-se com a jovem de quem estava noivo. Então, escreveu a seguinte carta ao pai da moça: "Tenho que perguntar ao senhor se pode consentir que sua filha parta no próximo mês de março, para nunca mais vê-la neste mundo; se está disposto a deixá-la viajar para longe, e se subjugar aos rigores e sofrimentos de uma vida missionária; à influência fatal do clima do sul da Índia, e a toda espécie de falta material, pressão, degradação, insulto, perseguição e possivelmente morte violenta. Consentiria com tudo isso por causa daquele que deixou seu lar celestial e morreu por ela e pelo senhor, e pelas almas mortais que pereçem?".[2]

Não sei que resposta a maioria de nós teria dado a um pedido tão franco. Sei, porém, que aqueles dois jovens tinham plena consciência das implicações envolvidas em um real compromisso com Cristo. Sim, seguir Jesus é coisa séria. Haverá pedras no caminho, e também lágrimas nos olhos. Haverá devoção e sacrifício. Moriá é lugar de entrega.

Moriá é lugar de adoração

O objetivo de Abraão ao subir o monte era prestar adoração lá no alto. Havia um holocausto a ser oferecido ao Criador. Independentemente do curso dos acontecimentos, de uma coisa o patriarca tinha certeza: um altar seria erguido e um culto seria prestado. E isso, efetivamente, ocorreu, não com a morte de Isaque, mas de um carneiro que o Senhor providenciou para ser oferecido em seu lugar.

Jesus afirmou certa vez: "Está chegando a hora, e de fato já chegou, em que os verdadeiros adoradores adorarão o Pai em espírito e em verdade. O Pai procura pessoas que o adorem desse modo" (Jo 4.23). Deus não procura adoração; ele procura adoradores. O Senhor não necessita ser adorado por nós; nós é que temos necessidade de adorá-lo. Se não prestarmos culto ao Criador, acabaremos cultuando algo mais. Idolatraremos pessoas ou causas, objetos ou ideologias, instituições ou projetos, hábitos ou vícios. De uma forma ou de outra, terminaremos prostrados diante de um altar.

Os pássaros foram feitos para voar, os peixes foram feitos para nadar, e os seres humanos foram criados para adorar a Deus. Nisso achamos o verdadeiro significado de nossa vida. É nisso que nos realizamos. Há muitas formas de adorar a

Deus, e todas elas envolvem sinceridade, dedicação e fé. Às vezes, adoramos ao Senhor com hinos e preces. Mas também há ocasiões em que cultuamos a Deus com nossos sofrimentos.

"Quanto a mim, minha vida já foi derramada como oferta para Deus", escreveu Paulo, antevendo seu martírio (2Tm 4.6). "Que Cristo seja honrado por meu intermédio, quer eu viva, quer eu morra" (Fp 1.20). Que grande exemplo nos legou aquele dedicado apóstolo! Quando passamos por lutas e, ainda assim, o que sai de nossos lábios é uma declaração de amor a Deus, o Senhor está sendo adorado. E isso acontece de uma das mais belas formas.

Em um dos seus inspirados salmos, Davi escreveu: "Conheces bem todas as minhas angústias; recolheste minhas lágrimas num jarro e em teu livro registraste cada uma delas" (Sl 56.8). O rei de Israel sabia que Deus era louvado através das canções que entoava. Porém, acreditava que o Senhor também era exaltado pelo seu choro nos momentos de angústia. O Senhor leva a sério as aflições de seus servos. Ele valoriza nossas lutas. Ele colhe e registra nossas lágrimas. Ele recebe a adoração prestada nos instantes de dor.

Subamos o nosso Moriá pessoal e, quando chegarmos ao cume, reafirmemos nosso amor pelo Pai. "O Senhor me deu o que eu tinha, e o Senhor o tomou. Louvado seja o nome do Senhor!", exclamou Jó em sua hora mais sombria (Jó 1.21). Ele, que era acostumado a oferecer holocaustos ao Todo-poderoso, prestou assim o mais significativo culto de sua vida. Aquele servo de Deus deixou-nos um grande ensinamento. Mostrou-nos que a verdadeira adoração é a que parte de um coração agradecido e cheio de fé. Tudo pode ser deixado sobre o altar, inclusive nossa dor.

Moriá é lugar de livramento

A vida de Isaque esteve por um fio no alto da montanha. Seu pai, num gesto de obediência, se viu prestes a sacrificá-lo. Deus, contudo, impediu que as coisas chegassem a tal ponto. Quando o patriarca ergueu a mão que empunhava a faca para desferir o golpe mortal, o anjo do Senhor bradou desde o céu e disse-lhe que não tocasse no rapaz. Ordenou a Abraão que nenhum mal fosse feito a Isaque, pois o objetivo do teste já tinha sido alcançado. Tudo aconteceu do jeito certo e na hora exata. Assim, pai e filho puderam descer o monte, juntos.

A obediência ao Senhor poderá levar-nos a locais inóspitos e a situações arriscadas. Entretanto, se estivermos dentro da vontade de Deus, não precisaremos temer mal algum. "O lugar mais seguro para alguém estar, ainda que cercado de ameaças e perigos, é o centro da vontade de Deus", afirmou Ashbell Simonton. O Pai celeste não descuida de seus filhos. Ele não nos perde de vista em nenhum momento. Ele não pisca os olhos. Ele não tapa os ouvidos. Ele não se volta para outra direção. E no instante e da maneira que ele estabeleceu em sua soberania, o livramento virá.

"O anjo do Senhor é guardião; ele cerca e defende os que o temem", diz a Bíblia (Sl 34.7). "O Senhor ouve os justos quando clamam por socorro; ele os livra de todas as suas angústias" (Sl 34.17). O Deus de Israel é o protetor do seu povo. Só corremos verdadeiro perigo quando nos colocamos fora da sua vontade. Se os pés estiverem no caminho que o Senhor estabeleceu para nós, seremos, a todo momento, guardados por ele.

"Não há lugar mais seguro do que aquele para onde Deus nos envia", escreveu Charles Swindoll. Tanto Abraão quanto

Isaque estavam seguros em Moriá. E quando seguimos na direção mostrada pelo Criador, nós nos colocamos em segurança também. Talvez a realidade nos pareça diferente a princípio. Podemos ser levados a pensar que o problema é insolúvel, e a tragédia, inevitável. Mas isso acontece apenas porque não somos capazes de enxergar as coisas completamente. Em nossa limitação humana, somos desafiados a confiar.

A confiança é o bendito antídoto contra a ansiedade. Nos dias em que vivemos, as pessoas se acham mergulhadas em preocupações. Os especialistas em saúde mental chamam nossa era de "o século da ansiedade". E o que é a ansiedade? Podemos defini-la como sendo a tentativa de viver o amanhã hoje. Isso, simplesmente, não é possível. E também não é necessário, porque o relógio de Deus não atrasa nem adianta.

No caso do sacrifício de Abraão, foi apenas no último momento que o carneiro foi mostrado e a substituição teve lugar. Desse modo, somos lembrados de que a ansiedade não muda o curso ou a velocidade dos acontecimentos. É só quando chegamos ao monte do sacrifício que vemos o livramento de Deus. Descansar nas promessas dele, em contrapartida, é algo que podemos fazer a qualquer hora. "Nunca tenha medo de confiar um futuro desconhecido a um Deus conhecido", afirmou Corrie ten Boom. Faremos bem se recordarmos essas palavras.

Moriá é lugar de encontro

A etimologia da palavra *Moryah* nos lembra que ali é o lugar onde se vê o Senhor. Moriá é o endereço da manifestação do Todo-poderoso. É o local onde escutamos a voz do Criador com maior nitidez. É o ponto onde vivemos as experiências de maior intimidade com Deus. "Antes, eu só te conhecia de ouvir falar; agora, eu te vi com meus próprios olhos", disse Jó ao alcançar o cume de seu Moriá particular (Jó 42.5). Moriá é lugar de encontro.

Por ocasião da dedicação do templo de Jerusalém, aconteceu algo notável: "Quando Salomão terminou de orar, desceu fogo do céu e queimou os holocaustos e os sacrifícios, e a presença gloriosa do SENHOR encheu o templo. Os sacerdotes não podiam entrar no templo do SENHOR, pois a presença gloriosa do SENHOR havia enchido o templo. Quando todos os israelitas viram o fogo descer e a presença gloriosa do SENHOR encher o templo, prostraram-se com o rosto no chão, adoraram e louvaram o SENHOR, dizendo: 'Ele é bom! Seu amor dura para sempre!'" (2Cr 7.1-3).

A glória de Deus se manifestou na colina do templo. O fogo desceu do céu, e a presença radiante do Senhor, a sua *shekinah*, encheu o lugar. Os que testemunharam aquela ocasião histórica ficaram muito impressionados. Eles se inclinaram reverentemente e renderam graças a Deus. Contudo, vários séculos antes, duas outras testemunhas haviam vivido, naquele mesmo local, sua própria experiência de encontro com o Senhor.

Na mesma colina em que o templo foi erguido, Abraão e Isaque escutaram a voz de Deus. Eles testemunharam a bondade do Criador. Eles conheceram ao Senhor mais claramente. Eles tiveram um vislumbre do plano de salvação. Moriá é o lugar onde temos um encontro com o Onipotente, é o local da manifestação do Altíssimo. É ali que, depois de termos superado as provas, somos levados a dizer: "Os meus olhos te veem, Senhor!".

Nunca é demais lembrar que naquela mesma montanha, séculos mais tarde, os homens teriam uma visão ainda mais fulgurante da glória do Senhor. No templo de Jerusalém, Jesus Cristo, o Filho de Deus, seria apresentado quando bebê. Naquela cidade, depois de crescer, ele pregaria e operaria milagres. Em um outro monte da terra de Moriá (o monte Calvário) ele entregaria sua vida. E a partir de outro monte da mesma região (o monte das Oliveiras) ele regressaria aos céus. "Vimos sua glória, a glória do Filho único do Pai", escreveu o evangelista (Jo 1.14). Moriá é o lugar da teofania, da manifestação visível do Senhor.

No monte da entrega, da adoração e do livramento, o Senhor se manifesta. E à semelhança de Moisés, cujo rosto resplandecia ao descer do Sinai, nossas faces revelam um novo brilho quando descemos do nosso Moriá. Através de uma escalada desafiadora, o Senhor nos conduz para o cume de uma experiência com ele. E ali temos um encontro que transforma nossa vida e nos capacita a testemunhar, mais poderosamente, de seu amor.

Moriá é lugar de provisão

Finalmente, podemos dizer que Moriá é o local onde nossas necessidades são satisfeitas. No alto da montanha Deus providenciou uma vítima para o holocausto. Abraão encontrou um carneiro preso pelos chifres em um arbusto e sacrificou-o no lugar de Isaque. Ele deu ao lugar o nome de *Javé-Jiré*, que significa "o SENHOR proverá". E a partir de então muitos passaram a dizer: "No monte do SENHOR se proverá".

É nas horas de maior precisão que recebemos a provisão mais completa. A Bíblia diz que o Senhor suprirá todas as nossas necessidades segundo suas riquezas em Cristo Jesus (Fp 4.19). As prateleiras do céu nunca ficam vazias. Os depósitos celestiais em momento algum se acham desabastecidos. Deus possui em abundância tudo aquilo de que temos falta. Ele se alegra em manter-nos, sustentar-nos e prover-nos.

Não precisamos ficar preocupados, porque nosso Pai celestial sabe do que necessitamos antes mesmo que lhe peçamos. Ele sabia que naquela hora e lugar exatos um carneiro seria necessário e, portanto, o colocou lá para Abraão. Milhares de anos depois, ele providenciaria, de igual forma, um Cordeiro santo, que seria oferecido não no lugar de um homem, mas de toda a humanidade. O Senhor sempre sabe o que faz.

No monte do Senhor se proverá. No monte, e não antes dele. No monte, e não fora dele. O lugar da bênção é o lugar da obediência. Portanto, devemos seguir para onde o Senhor nos enviou, e esperar ali. Ele suprirá todas as nossas necessidades. E aquilo que ele proverá para nós será melhor, em todos os sentidos, do que qualquer coisa que poderíamos lhe dar.

Quando o profeta Elias precisou fugir do ímpio rei Acabe, o Senhor lhe disse: "Vá para o leste e esconda-se junto ao riacho de Querite, que fica a leste do rio Jordão. Beba água do riacho e coma o que os corvos lhe trouxerem, pois eu dei ordem para levarem alimento até você" (1Rs 17.3-4). Elias fez o que Deus lhe ordenara, e os corvos passaram a trazer-lhe pão e carne todos os dias. Mas isso não teria acontecido se o profeta não tivesse seguido para o lugar que o Senhor lhe apontara. O endereço da bênção é o local para onde Deus nos manda.

Há uma bênção para nós no alto do monte. Portanto, sigamos para lá. Enquanto escalamos nosso Moriá, não temos uma visão clara daquilo que receberemos no topo. Só saberemos em que consistirá a provisão do Criador quando chegarmos lá em cima. Mas de algo podemos estar certos: o que o Senhor providenciará para nós será o melhor que poderíamos ter. "Deus, que por seu grande poder que atua em nós, é capaz de realizar infinitamente mais do que poderíamos pedir ou imaginar. A ele seja a glória na igreja e em Cristo Jesus por todas as gerações, para todo o sempre! Amém" (Ef 3.20-21).

***

Subindo o Moriá, Abraão se pôs a caminho do cumprimento da vontade de Deus. Seu coração estava pesado, e seus pés se arrastavam. A perspectiva do sacrifício iminente não deixava seus pensamentos. Entretanto, por ter prosseguido com fé, ele viveu uma experiência inesquecível. Ao descer do monte, tinha alcançado uma nova compreensão do amor divino. Havia recebido um vislumbre do grandioso plano de redenção da humanidade.

Na divisa dos estados de Minas Gerais e Espírito Santo está localizada a serra do Caparaó. Seu ponto mais alto é o Pico da Bandeira, que alcança 2.891 metros. Todos os anos, centenas de pessoas se dispõem a subir essa que é a terceira maior montanha do Brasil. Elas iniciam a caminhada com o dia ainda escuro, em plena madrugada. À medida que prosseguem, vão se deparando com temperaturas que podem cair até perto de dez graus negativos. Além disso, o percurso vai se tornando mais íngreme e escarpado a cada passo. É preciso real determinação para chegar ao cume.

Por que centenas de homens e mulheres se dispõem a tanto esforço? Porque quando chegam ao alto da montanha e olham para o horizonte, podem ver uma cena de tirar o fôlego. Eles observam o sol nascendo a seus pés, levantando-se sobre uma franja infinita de delicadas nuvens brancas, tingindo o céu com faiscantes tons de vermelho e laranja e iluminando a majestosa cordilheira a sua volta. É um quadro que fica gravado para sempre em sua memória. E quando descem do monte e as pessoas lhes perguntam se a árdua escalada valeu a pena, sempre respondem: "Sim! Valeu a pena!".

Subir o Moriá sempre vale a pena. Compensa acreditar no Senhor e cumprir seu querer. O que enxergamos por meio de nossas experiências de fé é ainda mais belo do que os espetáculos que a natureza é capaz de proporcionar. Portanto, quando nos depararmos com o nosso Moriá espiritual, sigamos em frente. Aquele que traçou o caminho haverá de sustentar-nos no percurso. E, ao superarmos a prova, teremos sido transformados em pessoas melhores. Teremos recebido uma nova visão do Senhor e de sua maravilhosa graça.

8
"Onde está o cordeiro?"

> Abraão pôs a lenha para o holocausto nos ombros de
> Isaque, e ele próprio levou o fogo e a faca. Enquanto
> os dois caminhavam juntos, Isaque se virou para
> Abraão e disse: "Pai?".
> "Sim, meu filho", respondeu Abraão.
> "Temos fogo e lenha", disse Isaque. "Mas onde está o
> cordeiro para o holocausto?"
> "Deus providenciará o cordeiro para o holocausto,
> meu filho", respondeu Abraão. E continuaram a
> caminhar juntos.
>
> Gênesis 22.6-8

Abraão deixou ao pé do monte o jumento que trouxera e os empregados que o haviam acompanhado. Tendo Isaque a seu lado, seguiu para o cume do Moriá. O rapaz já tinha naquela época cerca de quinze anos. Então, o patriarca colocou a lenha sobre os ombros fortes do filho, enquanto ele mesmo levava a faca e o fogo.

Aproveitando o fato de que estavam sozinhos, Isaque não demorou a fazer ao pai uma pergunta que, com certeza, vinha martelando sua mente desde o início da viagem. A lenha, a faca e o fogo para o sacrifício estavam ali, mas... onde estava o cordeiro para o holocausto? A pergunta inocente do filho deve ter machucado ainda mais o coração combalido do pai. Afinal, quem seria imolado era o próprio Isaque.

Em um dos maiores rasgos de fé já registrados na história da humanidade, Abraão deu a resposta que viria a se tornar famosa: "Deus providenciará o cordeiro para o holocausto, meu filho". Que declaração extraordinária! A fala do patriarca, extraída dolorosamente de sua alma, proclamava em meio ao teste mais severo sua absoluta confiança em Deus.

Ao longo dos séculos, a pergunta de Isaque e a resposta de Abraão reverberaram no espaço, apontando para realidades ainda maiores do que aquela que eles estavam vivendo. Isso aconteceu porque os eventos do Moriá não envolveram apenas um teste. Havia algo mais ocorrendo ali. Nesse ponto da narrativa, somos convidados a examinar mais detidamente o aspecto profético do relato bíblico. Do que tudo aquilo se tratava realmente?

Semelhanças entre Jesus e Isaque

A ordem recebida por Abraão para que sacrificasse o filho foi uma prova, mas não apenas isso. Tratava-se, também, de uma profecia encenada. Por meio daqueles acontecimentos, Deus visava proclamar seu amor aos perdidos, mostrando-lhes o caminho para a reconciliação com ele. Nesse sentido, podemos afirmar que o sacrifício de Abraão foi um prenúncio da morte de Cristo, e que o próprio Isaque foi um tipo de Jesus.

A palavra "tipo" deriva do termo grego usado para "forma" ou "padrão". A tipologia bíblica envolve uma correspondência analógica. Através dela, eventos, pessoas ou lugares que aparecem mais cedo na história da salvação se tornam, devido a sua semelhança, padrões por meio dos quais eventos, pessoas ou lugares que surgem posteriormente são interpretados.

Em outras palavras, um tipo é uma espécie de "amostra grátis". É uma miniatura que aparece no texto sagrado acenando para algo maior que surgirá, depois, nesse mesmo texto. Esse aceno se dá mediante similaridades existentes entre aquilo que é anterior e menor (também chamado de "protótipo") e aquilo que é posterior e maior (conhecido como "antítipo").

Temos vários casos de uso de tipos e antítipos no Novo Testamento. Por exemplo, Jesus disse que, assim como Jonas tinha ficado três dias no ventre de um peixe, ele permaneceria três dias no túmulo antes de ressuscitar. Ele também afirmou que, assim como as pessoas se casavam e se davam em casamento nos dias de Noé, viveriam despreocupadas nos tempos que antecederiam o fim do mundo. Por sua vez, o autor de Hebreus usou a figura de Melquisedeque, que foi rei e sacerdote na época de Abraão, para exaltar a pessoa de Cristo, cujo ofício inclui o reinado e o sacerdócio.

Dentre as várias ocorrências de tipologia que encontramos nas Escrituras, uma que se destaca é aquela que estabelece a relação entre Isaque e Jesus. Isaque é um tipo de Cristo na medida em que muito do que lhe aconteceu encontra paralelo, em maior escala, na pessoa e obra do Salvador. Em algumas ocasiões, o filho de Abraão se tornou uma "amostra grátis", uma miniatura de Jesus. Fatos que marcaram sua vida apontaram para eventos maiores que ocorreriam nos dias do Novo Testamento.

Vejamos como são numerosas as semelhanças entre Isaque e Jesus Cristo:

1. *Isaque foi o filho da promessa.* Deus assegurou a Abraão e a Sara que eles teriam um filho. As condições biológicas para isso não existiam; entretanto, o casal aguardou que a

Palavra do Senhor se cumprisse. Da mesma forma, Jesus foi o Messias prometido. Por meio de repetidas profecias, Deus anunciou que enviaria seu Filho ao mundo a fim de salvá-lo. O coração de homens e mulheres fiéis esperara durante séculos que a promessa se cumprisse. Então, na plenitude dos tempos, o Salvador nasceu em Belém.

2. *Isaque nasceu de forma milagrosa*. O filho de Abraão não poderia vir ao mundo de maneira natural, porque Sara era idosa e já tinha entrado na menopausa. Ela até chegou a rir quando escutou o Senhor dizer que seria mãe. Mas o milagre aconteceu, e quando o garoto nasceu ela lhe deu o nome de Isaque, que significa "riso". Semelhantemente, a vinda de Jesus ao mundo se deu de forma sobrenatural. Sua mãe era virgem. Maria concebeu do Espírito Santo. O nascimento de Cristo foi um milagre.

3. *Isaque foi amado por seu pai*. Ao ordenar o sacrifício de Isaque, Deus enfatizou que Abraão deveria oferecer em holocausto o filho a quem ele amava. Do mesmo modo, Jesus Cristo foi conhecido como o Filho amado de Deus. Por ocasião de seu batismo, as pessoas ouviram uma voz do céu dizer que aquele era o Filho amado do Senhor. O amor entre as pessoas da Trindade é maior e mais profundo do que podemos conceber. E o Pai celeste ofereceu, para redenção da humanidade, o seu único e amado Filho.

4. *O pai de Isaque providenciou-lhe uma esposa*. Abraão enviou um de seus servos à terra de Harã para dali trazer uma mulher para Isaque. O patriarca o fez porque não queria que seu filho se casasse com alguém que não tivesse o temor de Deus. Por atuação divina, o servo encontrou Rebeca, e ela consentiu em viajar até Canaã a fim de tornar-se esposa de Isaque. Jesus Cristo também recebeu do Pai uma noiva, que

é a igreja. A nação redimida do Senhor é conhecida como a Noiva do Cordeiro, a Esposa do Redentor, o Corpo de Cristo.

5. *Isaque amou sua esposa*. A Bíblia diz que quando Rebeca chegou à terra prometida foi apresentada a Isaque, e este a amou profundamente. Ele se casou com Rebeca e levou-a para a tenda que havia pertencido a Sara, sendo assim consolado depois da morte de sua mãe. Igualmente, as Escrituras afirmam que Cristo amou sua igreja. O Redentor se entregou por ela, a fim de apresentá-la a si mesmo como esposa gloriosa, sem mácula ou ruga, mas santa e irrepreensível.

6. *Isaque herdou de seu pai todas as coisas*. Abraão teve outros filhos além de Isaque, mas não lhes deixou seus bens. Ismael, o filho que ele teve com Hagar, foi viver no deserto. E também os filhos de Quetura, a mulher com quem Abraão se casou depois da morte de Sara, foram enviados para outras terras. O patriarca entregou tudo o que possuía ao filho da promessa. De igual forma, Jesus afirmou que todas as coisas lhe foram dadas por seu Pai. Tudo é dele, por meio dele e para ele. Glória, pois, a ele, eternamente. Amém.

7. *Isaque foi destinado para o sacrifício*. Deus ordenou a Abraão que levasse seu filho amado à terra de Moriá e ali o oferecesse como holocausto. De igual modo, Cristo foi escolhido para morrer em nosso lugar, como o sacrifício que limpa nossos pecados e redime nossa alma da culpa. As Escrituras dizem que o Cordeiro foi morto antes da criação do mundo. Jesus nos foi prometido antes dos tempos eternos. Ele foi designado como o caminho, a verdade e a vida quando o universo nem existia. Ele é o sacrifício perfeito de Deus.

8. *Isaque foi obediente até a morte*. Ele não tentou impedir que Abraão consumasse o sacrifício. Obedientemente, deixou que seu pai o amarrasse e o colocasse sobre o altar. Também

nisso Isaque foi um tipo de Jesus. O Filho de Deus se ofereceu voluntariamente. Ele esvaziou a si mesmo, tomou a forma de servo, humilhou-se e foi obediente até a morte, e morte de cruz. Jesus sempre fez a vontade do Pai e foi submisso a ele em todas as coisas.

9. *Isaque levou sobre si a madeira para o sacrifício.* Seu pai colocou sobre seus ombros a lenha que seria necessária para o holocausto, e assim ele e Abraão seguiram juntos até o cume do monte. Da mesma maneira, Jesus Cristo tomou sobre os ombros o madeiro em que viria a ser sacrificado. Ele carregou sobre si a própria cruz. Cambaleante, o Mestre seguiu pelas ruas apertadas da Via Dolorosa até o local da execução, arrastando consigo o lenho crucial. Chegando ao Gólgota, foi pregado no madeiro, e ali se entregou por nós.

10. *Isaque foi oferecido num monte em Jerusalém.* O filho de Abraão foi posto sobre um altar no monte Moriá, e lá seu pai esteve prestes a imolá-lo. E o Filho de Deus foi colocado em uma cruz no monte Calvário, entregando ao Pai seu Espírito. As duas colinas fazem parte da terra de Moriá, os dois montes estão localizados na cidade de Jerusalém. A região que quase viu Isaque ser sacrificado testemunhou o sacrifício de Cristo. O local onde uma profecia foi encenada tornou-se o palco de seu cumprimento.

As semelhanças entre Isaque e Jesus são muitas e eloquentes. Elas nos ajudam a entender o aspecto profético envolvido na experiência de Abraão. A tipologia se soma às centenas de profecias do Antigo Testamento que acenaram para a vinda do Salvador. Por meio dela, somos grandemente edificados. Mas é claro que, além de semelhanças, há diferenças. Isaque foi um ser humano igual aos outros, que viveu sua própria história.

Dentre todas as diferenças existentes entre Isaque e Jesus, a maior é esta: Isaque não foi sacrificado, e Jesus, sim. Aquilo que o Senhor não obrigou Abraão a fazer, ele mesmo realizou. A dor que o patriarca não sentiu, o Criador experienciou. O Senhor entregou seu próprio Filho por nós. Jesus morreu em nosso lugar. As pessoas que leem a história do sacrifício de Isaque e se sentem incomodadas com a ordem dada pelo Senhor se esquecem desse fato. O Deus revelado em Moriá não é um Deus caprichoso nem cruel. É um Deus transbordante de amor.

"Vejam! É o Cordeiro de Deus!"

"Onde está o cordeiro para o holocausto?", perguntou Isaque. A pergunta que ele fez pairou suspensa por muitos séculos à espera de uma resposta. É claro que as palavras de Abraão ofereceram uma pista. "Deus providenciará o cordeiro para o holocausto, meu filho", disse ele. Mas talvez naquele momento nem o próprio patriarca tivesse consciência do alcance de sua declaração. Sua fala consistiu em uma profecia que só se realizou muito tempo depois.

De certa forma, a frase pronunciada pelo "Pai da fé" teve um cumprimento imediato. Assim que soube que não precisaria imolar Isaque, "Abraão levantou os olhos e viu um carneiro preso pelos chifres num arbusto. Pegou o carneiro e o ofereceu como holocausto em lugar do filho" (Gn 22.13). De alguma maneira, o que ele tinha dito aconteceu. Uma vítima foi providenciada para substituir Isaque. Mas o que ocorreu naquele dia não cumpriu a profecia de modo preciso. Afinal, um carneiro não é exatamente um cordeiro.

Não, a história não havia terminado. Algo bem maior estava por vir. Deus ainda teria de enviar um Cordeiro para o sacrifício, a fim de substituir não apenas Isaque, mas toda a raça humana. O carneiro que Abraão encontrou era apenas um tipo do Cordeiro.

Ao longo dos anos, outros acontecimentos e declarações se somaram à fala profética de Abraão. Na saída dos israelitas do Egito, o povo foi orientado a sacrificar um cordeiro e marcar com o sangue a porta de sua casa. "O sangue nos batentes das portas servirá de sinal e marcará as casas onde vocês estão", disse-lhes o Senhor. "Quando eu vir o sangue, passarei por sobre aquela casa. E, quando eu ferir a terra do Egito, a praga de morte não os tocará" (Êx 12.13).

Séculos mais tarde, o Senhor concederia a Isaías uma visão a respeito dos sofrimentos do Messias. "Ele foi oprimido e humilhado, mas não disse uma só palavra. Foi levado como cordeiro para o matadouro; como ovelha muda diante dos tosquiadores, não abriu a boca", escreveu o profeta. "Quando ele vir tudo que resultar de sua angústia, ficará satisfeito. E, por causa de tudo que meu servo justo passou, ele fará que muitos sejam considerados justos, pois levará sobre si os pecados deles" (Is 53.7,11).

E assim as profecias foram se sucedendo ao longo do Antigo Testamento. As pistas foram se empilhando umas sobre as outras, apontando para o Salvador que viria. Por fim, o tempo aguardado chegou. O Verbo se fez carne. O Filho de Deus veio ao mundo. E, por toda sua vida, avançou em direção ao cumprimento daquilo que fora dito a seu respeito.

Quando Jesus completou trinta anos, dirigiu-se ao rio Jordão, a fim de ser batizado por João Batista. A princípio, João tentou impedi-lo. "Eu é que preciso ser batizado pelo Senhor", disse. Mas Cristo insistiu, declarando que era preciso cumprir toda a justiça. João, então, concordou em batizá-lo.

"Depois do batismo, enquanto Jesus saía da água, o céu se abriu, e ele viu o Espírito de Deus descer como uma pomba e pousar sobre ele. E uma voz do céu disse: 'Este é meu Filho amado, que me dá muita alegria'" (Mt 3.16).

João Batista jamais esqueceria aquela ocasião formidável. De uma forma marcante, Deus confirmara, visível e audivelmente, aquilo que já lhe tinha sido revelado na intimidade de seu coração: que Jesus de Nazaré era o Salvador prometido.

Semanas mais tarde, após vencer as tentações no deserto, Jesus voltou ao lugar onde havia sido batizado. E naquele dia, por fim, a pergunta feita séculos antes por Isaque foi respondida. A frase pronunciada por Abraão finalmente fez pleno sentido. "João viu Jesus caminhando em sua direção e disse: 'Vejam! É o Cordeiro de Deus, que tira o pecado do mundo!'" (Jo 1.29).

"Vejam! É o Cordeiro de Deus!" Ninguém mais precisa perguntar onde está o Cordeiro, porque ele está diante de nós. Ele é Jesus Cristo. Ele é aquele em cuja vida mais de trezentas profecias registradas no Antigo Testamento se cumpriram. Ele é nosso Cordeiro pascal que foi sacrificado para livrar-nos da morte. Ele é aquele que viveu uma vida sem pecado a fim de se oferecer em resgate pelos pecadores. Ele é aquele que morreu em uma cruz para redimir os que creem. Ele é aquele que ressuscitou e venceu a morte. Ele é aquele que subiu aos céus de onde voltará para buscar seu povo.

"Pois vocês sabem que o resgate para salvá-los do estilo de vida vazio que herdaram dos seus antepassados não foi pago com simples ouro ou prata, que perdem seu valor, mas com o sangue precioso de Cristo, o Cordeiro de Deus, sem pecado nem mancha", escreveu Pedro. "Ele foi escolhido antes da criação do mundo, mas agora, nestes últimos tempos, foi revelado por causa de vocês" (1Pe 1.18-20). Aleluia! Jesus é o Cordeiro de Deus, que tira o pecado do mundo!

Quando entregamos a vida a Cristo e o recebemos como nosso Senhor e Salvador, nossa alma é lavada e nossos pecados são perdoados. Tornamo-nos herdeiros do Altíssimo e cidadãos dos céus. Passamos a fazer parte da Família de Deus e do Corpo de Cristo. Não somos redimidos por nossas boas obras, mas pela fé no unigênito Filho de Deus. Todos aqueles que o confessam "têm os nomes escritos no Livro da Vida que pertence ao Cordeiro, que foi morto antes da criação do mundo" (Ap 13.8).

Jesus Cristo é o tema central das Escrituras. Sobre ele falaram os profetas, e a ele remeteram os acontecimentos do Antigo Testamento. Nada pega Deus de surpresa. Tudo foi providenciado com antecedência. A história iniciada em Gênesis tem sua conclusão no Apocalipse. A morte de Jesus no Calvário não foi um acidente de percurso, mas o cumprimento de uma promessa. Nas palavras de John Stott, "Desde a eternidade passada à eternidade futura, o centro do palco é ocupado pelo Cordeiro de Deus que foi morto".

* * *

O aspecto profético do sacrifício de Abraão nos leva a novas profundidades espirituais. Antes de considerá-lo, identificamo-nos com o drama do patriarca e nos solidarizamos com ele. Somos capazes de nos colocar em seu lugar, de imaginar seu sofrimento e de admirar sua fé. Extraímos de sua experiência lições para nossa vida, e aplicamos aquilo que aprendemos a nossas próprias horas de provação. Tudo isso é válido e proveitoso. Até então, porém, estamos somente riscando a superfície.

Quando nos damos conta de que um dos motivos que levou Deus a ordenar a Abraão que sacrificasse Isaque foi seu desejo de que soubéssemos o que aconteceria a seu próprio Filho, começamos a navegar em águas mais profundas. Mergulhamos abaixo da espuma, investigamos sob a ponta do iceberg. Só então as coisas fazem pleno sentido. Descobrimos que a história está relacionada conosco, e entendemos o que motivou a ordem do Senhor.

Abraão mesmo compreendeu isso de certa forma. Séculos mais tarde, Cristo diria aos judeus de sua época: "Seu pai Abraão exultou com a expectativa da minha vinda. Ele a viu e se alegrou" (Jo 8.56). Quando foi que isso aconteceu? Embora Jesus não tenha dito especificamente em que dia Abraão viu sua vinda, nenhum outro dia, dentre todos os que o patriarca viveu, foi mais real quanto ao cumprimento da missão do Salvador que aquele em que esteve no cume do Moriá. Por ocasião de seu chamado, o Senhor tinha dito a Abraão que através dele todas as famílias da terra seriam abençoadas. No dia em que quase sacrificou Isaque, o patriarca teve um vislumbre de como isso aconteceria.

Só nos resta, então, glorificar ao Senhor por sua sabedoria e bondade. O Cordeiro foi enviado, o sacrifício se consumou. Pelo sangue de Jesus, temos livre acesso ao Pai. A experiência de Abraão e Isaque no alto da montanha — uma verdadeira profecia dramatizada — encontrou total realização. E nós, hoje, podemos extrair preciosas lições para nós mesmos. Tendo agora um entendimento mais claro sobre o que aconteceu em Moriá, somos capazes de olhar para nossas provas dispondo de mais ferramentas para trabalhá-las e superá-las.

Que lições para nossa vida tiramos desse aspecto da narrativa?

Em primeiro lugar, *podemos ter a certeza de que todas as coisas concorrem para o nosso bem*. Os testes são parte da manifestação bondosa do Senhor. Cada uma das ações divinas, mesmo as mais duras e incompreensíveis, visam em última instância abençoar-nos e abençoar outros por nosso intermédio. Foi assim com Abraão e Isaque, e será assim conosco. Não há por que duvidarmos do amor daquele que nos deu a salvação. "Se ele não poupou nem mesmo seu próprio Filho, mas o entregou por todos nós, acaso não nos dará todas as outras coisas?" (Rm 8.32).

Em segundo lugar, *devemos ter em mente que nossa história faz parte de outra história maior*. Abraão poderia ter perguntado: "Por que Deus está fazendo isso comigo?". Mas a pergunta mais certa a se fazer seria: "O que Deus está fazendo através de mim?". Normalmente só enxergamos o enredo de nossa vida, quando, na verdade, somos personagens de uma narrativa maior. Ainda que inicialmente Abraão não o soubesse, o Senhor estava proclamando uma mensagem a partir de sua experiência. A angústia do patriarca nos ajudaria a aquilatar a dor que o Pai celestial sentiria, anos depois, ao ter seu Filho sacrificado no Calvário.

Embora Abraão talvez não tivesse a percepção deste fato na época, Deus certamente tinha em mente o que um dia seria realizado através de seu Filho amado, Jesus Cristo. O mundo um dia entenderia melhor o coração de Deus, quando o visse permitindo o sacrifício do seu próprio Filho. O que Deus não permitiu que um pai terreno fizesse, ele mesmo o fez.

Clifton J. Allen[1]

Finalmente, *podemos ter a convicção de que tudo dará certo no final*. O Senhor não perdeu o controle das coisas. Ele não se ausentou do trono do universo. Uma a uma, as profecias se encaminham para o cumprimento. Como um boiadeiro tangendo a boiada, o Senhor vai conduzindo os acontecimentos rumo ao desfecho que estabeleceu. E assim como as promessas se realizaram no caso de Abraão e de Isaque, elas se concretizarão em nossa vida. O Cordeiro que foi morto é o mesmo que ressuscitou e que agora reina. Ele nos assegura que, depositando nele nossa confiança, ficaremos bem.

Conta-se que certa vez um menino estava lendo um livro de aventuras. Chegando a determinada altura da narrativa, porém, ele ficou muito ansioso. O herói estava amarrado aos trilhos de uma ferrovia, o trem se aproximava velozmente, a mocinha chorava em desespero, e o vilão gargalhava sem parar. Com o coração acelerado, o menino fechou o livro e colocou-o de volta na estante. Toda aquela tensão era simplesmente demais para ele.

Apesar de aflito, o garoto também estava curioso. O que aconteceria àqueles personagens? Ele, então, apelou para um subterfúgio. Apanhou outra vez o livro, abriu-o na última página e leu o que ali se achava escrito. Agora, tudo estava diferente. O perigo havia passado. O vilão definhava trancafiado na cadeia. O herói e sua namorada se abraçavam apaixonadamente. E tudo terminava em um final feliz.

Com um suspiro de alívio, o menino voltou para a página que havia abandonado alguns minutos antes. Lá, as coisas continuavam do mesmo jeito. O malfeitor gargalhava loucamente. O mocinho lutava para livrar-se das cordas que o prendiam aos trilhos. O trem se aproximava a toda velocidade. E a mocinha, desesperada, chorava sem parar. O garoto, então, concentrou sua atenção no parágrafo que descrevia a aflição da moça. Em seguida, disse em voz alta: "Menina! Se você soubesse o que eu sei, não estaria chorando!".

Se soubéssemos o que Deus sabe, provavelmente não choraríamos. Se conhecêssemos em detalhes o que o Criador tem reservado para nós, sorriríamos e enfrentaríamos mais confiantemente nossas provações. Bem, a verdade é que só poderemos ler as páginas que faltam quando chegarmos a elas. Ainda assim, recebemos alguma informação. As últimas páginas da Bíblia descrevem os dias tumultuados da atualidade, mas também anunciam a aproximação de uma eternidade de paz. E saber como acabarão as coisas nos ajuda a enfrentar os desafios que temos pela frente.

Tudo dará certo no final. Mais do que uma esperança à qual nos agarramos, essa é uma certeza que nos sustenta, baseada nas promessas feitas por um Deus que não pode mentir. Ele enxugará de nossos olhos toda lágrima. John Newton escreveu: "Como são felizes as pessoas que entregam tudo a Deus, que enxergam sua mão em cada propósito, e acreditam que suas decisões para elas são melhores do que as que elas mesmas tomariam".

Assim cremos. E, firmados sobre essa convicção, avançamos.

9
Tudo no altar

> Quando chegaram ao lugar que Deus havia indicado,
> Abraão construiu um altar e arrumou a lenha sobre
> ele. Em seguida, amarrou seu filho Isaque e o colocou
> no altar, sobre a lenha. Então, pegou a faca para
> sacrificar o filho.
>
> Gênesis 22.9-10

Há muita informação sobre sacrifícios nas páginas do Antigo Testamento. De modo particular, no livro de Levítico encontramos uma orientação detalhada sobre o assunto. Ali ficamos sabendo em que consistia cada oferenda, qual era o seu objetivo, e como deveria ser levada a Deus. Levítico foi escrito como uma espécie de "manual de instruções", e por isso a maioria das pessoas considera sua leitura cansativa. Entretanto, achamos em seus versículos diretrizes valiosas para nosso desenvolvimento espiritual.

Os cinco principais sacrifícios detalhados no livro de Levítico eram:

1. *O holocausto (1.1-17; 6.8-13).* Seu objetivo era obter o favor divino. A oferta precisaria ser de um macho sem defeito, e as posses do ofertante definiam que tipo de animal deveria ser sacrificado. A vítima inteira era queimada sobre o altar.

2. *A oferta de manjares (2.1-16).* Visava tanto a ação de graças quanto a obtenção da boa vontade de Deus. A oferta consistia em cereais ou em bolos salgados sem fermento. Uma

parte era queimada diante do Senhor, e a outra era oferecida aos sacerdotes.

3. *O sacrifício pelo pecado (4.1—5.13)*. Esse sacrifício era oferecido quando havia necessidade de purificação por causa de algum pecado ou contaminação. A oferta era de um novilho (no caso de um sacerdote ou de toda a congregação), de um bode (quando se tratava de um príncipe), de uma cabra, de um cordeiro, de dois pombos ou de manjares (quando se tratava de indivíduos mais pobres). Uma parte era queimada sobre o altar, e a outra servia como alimento para os sacerdotes.

4. *O sacrifício pacífico (3.1-17; 22.17-30)*. Buscava estabelecer comunhão com Deus, expressar-lhe gratidão ou assinalar o cumprimento de um voto. A oferta era de um animal sem defeito, determinado pelas posses do indivíduo. A gordura era queimada sobre o altar, e o restante era comido pelo ofertante e pelo sacerdote, numa refeição de comunhão.

5. *O sacrifício pelo sacrilégio (5.14-19)*. Era oferecido em caso de culpa por subtrair algo das coisas sagradas ou por causar dano ao santuário. A oferta era de um carneiro sem mácula. Uma parte do animal era queimada, e a outra era oferecida aos sacerdotes.

Dentre todas as formas de sacrifício, destacava-se o holocausto, porque nele todo o animal era queimado sobre o altar. Holocaustos já eram oferecidos ao Senhor antes de Levítico ser escrito, sendo que a legislação mosaica apenas regulamentou a prática. Quando Deus ordenou a Abraão que oferecesse Isaque sobre o altar, fez questão de dizer que se trataria de um holocausto.

A palavra "holocausto" é formada pela junção de dois vocábulos gregos: *holos*, que significa "todo", e *kaio*, que quer dizer "queimar". Ela foi usada para traduzir a palavra hebraica *olah*, que significa "fazer subir". Poderíamos dizer que o termo grego enfatiza a condição, enquanto o termo hebraico destaca o resultado. A exigência para que uma oferta — e, por assim dizer, um ofertante — chegue a Deus é a dedicação completa a ele.

O altar do holocausto simboliza, portanto, o momento de nossa plena entrega a Deus. O Senhor deseja que lhe consagremos tudo o que somos e tudo o que temos. Moriá é o lugar da renúncia total, da doação completa, da rendição absoluta. É o instante em que nos lançamos aos pés do Senhor. É a hora em que nos colocamos nos braços do Pai.

No momento em que Abraão ergueu o punhal para imolar o filho que se deixara pôr sobre o altar, a prova havia alcançado seu objetivo. O teste podia ser encerrado. Deus sabia que ele tinha tudo de seus dois servos queridos. De igual forma, o Senhor deseja ter tudo de cada um de nós. Nossa vida precisa ser um holocausto, uma oferta integral a Deus. Tudo o que temos e tudo o que somos deve arder e se consumir sobre o altar.

Quando reflito sobre o significado do holocausto e sobre o exemplo de Abraão e de Isaque, chego à conclusão de que devo considerar três questões muito importantes. É o que veremos a seguir.

Tudo no altar: Onde está o meu amor?

Abraão obedeceu ao Senhor e, a fim de honrá-lo, se dispôs a sacrificar seu único filho. Com esse gesto, mostrou que amava a Deus acima de tudo e de todos. A pergunta feita por Jesus a Pedro — "Simão, tu me amas?" — foi feita ao patriarca na forma de um teste. Se o mesmo acontecer conosco, que resposta daremos? Onde está nosso amor?

> Abraão foi primeiro provado sobre se confiaria na promessa de ter um filho que fosse seu herdeiro, e depois foi provado sobre se amaria mais a esse filho do que a Deus. Ele foi provado na coisa mais querida da vida, e é só nas coisas mais queridas que nós podemos provar nossa devoção a Deus no caso delas serem reclamadas.
>
> Antônio Neves de Mesquita[1]

Amar alguém é algo natural e bom. Mas Jesus ensinou que o Senhor precisa ocupar o primeiro lugar em nosso coração. Ele disse que não deveríamos estimar nem mesmo a nossos familiares mais do que a ele. "Quem ama seu pai ou sua mãe mais que a mim não é digno de mim; e quem ama seu filho ou sua filha mais que a mim não é digno de mim", afirmou (Mt 10.37). Isso valia para Abraão, e vale também para nós.

Amar a Deus sobre todas as coisas é dar ao Criador aquilo que lhe é de direito. É libertar-se do sentimento de posse e da dependência emocional. É abster-se de idolatrar objetos ou pessoas. É dar um passo importante para a saúde sentimental, física e espiritual. É configurar acertadamente a hierarquia de valores. É arrumar a alma. É aquietar o coração.

Um pai estava ensinando seu filho pequeno a abotoar o casaco sozinho. Vendo que o menino encontrava dificuldade com a tarefa, disse-lhe: "Abotoe corretamente o botão de cima, e todos os outros botões ficarão certos". Essa orientação vale para tudo na vida. Se dermos prioridade às coisas do alto, a vida aqui embaixo ficará bem ordenada. Se buscarmos em primeiro lugar o reino de Deus e a sua justiça, as demais coisas virão.

Quando o Senhor mandou Abraão sacrificar Isaque, estava lhe perguntando: "Onde está o seu amor?". Era uma pergunta de fundamental importância. Ela dizia respeito ao futuro do patriarca, do povo escolhido e do próprio plano de salvação. "Onde está o seu amor, Abraão?", inquiriu o Criador. O "Pai da fé" tratou de dar uma resposta à indagação divina. Ele colocou o seu amor onde ele deveria estar. Ele o pôs em Deus. Ao dispor-se a cumprir a ordem até o fim, aquele servo do Senhor não estava depositando apenas o filho sobre o altar. Na verdade, o que ele estava colocando em cima das pedras era seu próprio coração.

Ao deixarmos tudo no altar, estamos colocando nosso coração onde ele deve ficar. Estamos nos consagrando ao Senhor, e também lhe estamos consagrando tudo o que nos é caro. Só assim encontraremos segurança. Como escreveu C. S. Lewis, "As únicas coisas que podemos conservar são as que entregamos para Deus; as que guardamos para nós são as que perderemos com certeza". Então, confiemos. Quando Deus pediu Isaque, o que ele queria, na verdade, era Abraão. Não nos espantemos se o mesmo ocorrer conosco.

Tudo no altar: Onde está a minha confiança?

A Bíblia diz que tão logo Abraão e Isaque chegaram ao cume do monte, o patriarca amarrou seu filho e o pôs sobre a lenha, em cima do altar. Isaque estava, naquela época, com aproximadamente quinze anos. Já não era uma criança. Isso significa que seu idoso pai não teria força física para subjugá-lo. Abraão não poderia atar as mãos de Isaque sem o seu consentimento. Consequentemente, chegamos à conclusão de que Isaque se deixou amarrar. Ele acreditou em seu pai. Ele confiou em Deus.

No Antigo Testamento o Senhor se tornou conhecido como "o Deus de Abraão, de Isaque e de Jacó". Até aquele instante, o Senhor havia sido apenas o Deus de Abraão. Entretanto, no topo do Moriá ele se tornou, também, o Deus de Isaque. O jovem mostrou que havia aprendido com o exemplo de fé de seu pai. Mais do que isso: ele viveu sua própria experiência com o Todo-poderoso.

A minha definição pessoal de fé é a seguinte: "Fé é confiar a ponto de obedecer". Obedecemos a Deus porque confiamos nele, e, se não fazemos sua vontade, é porque nos falta fé. Abraão confiou no Senhor, e por essa razão obedeceu a sua ordem. Isaque fez o mesmo, e com esse gesto revelou que se equiparava a seu pai espiritualmente.

A obediência mostrada por Isaque, deixando-se amarrar e colocar sobre o altar, evidenciou sua confiança no Senhor. Isso deve nos levar à seguinte reflexão: Será que confiamos, realmente, em Deus? Dizemos, com muita facilidade, que cremos no Senhor. Mas muitas vezes deixamos de dizimar ou ofertar por medo de que o dinheiro nos faça falta, relacionamo-nos com pessoas erradas por medo de que a certa jamais apareça ou nos desesperamos diante de um diagnóstico ruim ou de uma notícia má. Podemos dizer que confiamos no Senhor, mas será nossa entrega (e a entrega daquilo que nos é importante) que provará se isso é verdade.

Onde está minha confiança? Frequentemente está depositada no planejamento, na cautela, na previsibilidade, na astúcia, nos relacionamentos, na conta bancária, na força física, na tecnologia, no estudo ou na inteligência. Contudo, ela precisa residir no Pai celestial. "Alguns povos confiam em carros de guerra, outros, em cavalos, mas nós confiamos no nome do SENHOR, nosso Deus", exclamou o salmista (Sl 20.7). Nossa confiança deve estar em Cristo. Temos de colocar tudo sobre o altar.

O momento da prova é o instante em que precisamos depositar nossa confiança no Senhor integralmente. Isso quase nunca é fácil. Apegamo-nos tanto ao conforto de uma vida previsível que ele praticamente tem de ser arrancado à força de nossas mãos. Somos assombrados por tantos receios que se torna necessário um grande esforço para evitar que os medos nos dominem. Faz parte da natureza humana hesitar e duvidar.

> É difícil ser como Abraão e o filho entregar,
> Ser Isaque e deitar-se sobre as pedras do altar.
>
> Trazendo a Arca[2]

Nesse embate entre a fé e a razão, o conflito se desfaz quando nos damos conta de que a coisa mais lógica que alguém pode fazer é confiar no Senhor. Ele é cheio de sabedoria, de amor e de poder. Todas as coisas lhe são possíveis, e nada lhe é oculto. Não faz sentido tentarmos reter, entre os dedos frágeis, aquilo que estaria melhor nas mãos fortes do Criador. Sendo assim, enchamo-nos de coragem. Subamos as pedras. Deitemo-nos no altar. Confiemos, de corpo e alma, no Salvador.

Tudo no altar: Onde está a minha alegria?

Uma das mais belas orações registradas na Bíblia foi feita pelo profeta Habacuque. Numa época em que a vida espiritual dos judeus passava por uma lamentável decadência e os babilônios se preparavam para destruir a cidade de Jerusalém, ele disse: "Ainda que a figueira não floresça e não haja frutos nas videiras, ainda que a colheita de azeitonas não dê em nada e os campos fiquem vazios e improdutivos, ainda que os rebanhos morram nos campos e os currais fiquem vazios, mesmo assim me alegrarei no Senhor; exultarei no Deus de minha salvação! O Senhor Soberano é minha força! Ele torna meus pés firmes como os da corça, para que eu possa andar em lugares altos" (Hc 3.17-19).

Habacuque tinha aprendido a fazer de seu relacionamento com Deus o motivo de sua alegria. A felicidade que ele experimentava não se baseava nas circunstâncias, e sim no Senhor. Sua paz de espírito repousava em Deus. Muitos séculos depois, outro personagem bíblico diria algo semelhante. Escrevendo aos cristãos de Filipos, o apóstolo Paulo afirmou: "Aprendi a ficar satisfeito com o que tenho. Sei viver na necessidade e também na fartura. Aprendi o segredo de viver em qualquer situação, de estômago cheio ou vazio, com pouco ou muito. Posso todas as coisas por meio de Cristo, que me dá forças" (Fp 4.11-13).

Por duas vezes nessa passagem Paulo usa a palavra "aprendi". Satisfazer-se é algo que precisa ser aprendido. Ninguém nasce sabendo ficar satisfeito. Pelo contrário, os bebês choram desesperadamente quando não recebem aquilo que querem. Na verdade, alguns indivíduos continuam a agir como bebês e jamais amadurecem, jamais aprendem o segredo do contentamento. O apóstolo, entretanto, havia descoberto como fazer de Cristo a fonte de sua satisfação.

Quando Deus mandou Abraão sacrificar Isaque no cume do Moriá, estava lhe perguntando: "Onde está a sua alegria?".

Assim como tantas outras pessoas, o patriarca poderia cometer o erro de depositar seu contentamento nas circunstâncias da vida. Ele poderia fazer das bênçãos alcançadas o motivo de sua satisfação. Afinal, o Todo-poderoso havia lhe dado longevidade e prosperidade. Ele tinha ganhado das mãos de Deus uma esposa amorosa e um filho saudável. Ao receber a determinação divina, porém, Abraão foi instado a se lembrar de que sua alegria precisaria repousar no Senhor.

Não é nada difícil trocar o Deus das bênçãos pelas bênçãos de Deus. É relativamente fácil olhar para as mãos do Senhor e deixar de buscar sua face. Mas, quando fazemos das circunstâncias a razão de nossa felicidade, tornamo-nos dependentes delas. Empolgamo-nos quando tudo corre bem e ficamos arrasados quando as coisas vão mal. Experimentamos uma grande instabilidade, vivendo em meio aos altos e baixos de uma gangorra emocional.

Naturalmente, isso não quer dizer que as situações jamais nos afetarão de alguma forma. Jesus chorou diante do túmulo de Lázaro e se entristeceu até à morte no Getsêmani. Assim como acontece conosco, as emoções de Cristo foram afetadas pelos acontecimentos, porque ele era verdadeiro homem além de ser verdadeiro Deus. Mas, como uma disposição perante a vida, a alegria do Salvador não estava firmada sobre os eventos, e sim sobre seu relacionamento com o Pai. O mesmo deve acontecer conosco.

Onde está a minha alegria?

Como lido com os riscos e as perdas?

De que forma encaro as frustrações e as decepções?

Essas são as perguntas que as provas colocam diante de mim. Sempre que a estabilidade da minha vida confortável sofre algum abalo, sou convidado a lembrar-me de que minha satisfação precisa estar em Deus. Sou desafiado a agradar-me do Senhor. Sou chamado a colocar tudo sobre o altar.

Abraão obedeceu ao mandamento divino, e assim mostrou que tinha atingido a mesma maturidade espiritual alcançada por Habacuque e Paulo. Tal qual Jesus, ele fez do relacionamento com Deus a razão de sua alegria. Ele não deixou dúvidas de que sua satisfação derivava de sua amizade com o Criador.

Em uma de suas poesias, Cecília Meireles escreveu um tanto melancolicamente: "Soltam-se os meus dedos ristes dos sonhos claros que invento; nem aquilo que imagino já me dá contentamento". Esse parece ser o caso de muita gente. Não era, porém, o caso de Abraão. O contentamento dele estava em Deus. E nós precisamos seguir seu exemplo.

* * *

A mão de Abraão, empunhando o cutelo, achava-se erguida no ar, enquanto Isaque, docilmente, se deitara sobre a lenha. Naquele momento, a extraordinária experiência dos dois servos de Deus se aproximava de sua apoteose. O Senhor nunca tivera a intenção de que aquele ato fosse levado até o fim, mas, até então, nem o pai nem o filho sabiam disso. Portanto, a fé de ambos foi testada supremamente no cume do Moriá.

Com Abraão e Isaque aprendemos que, assim como um holocausto, a vida dos que aceitam o chamado para andar com Deus precisa estar totalmente rendida no altar. Seu amor, confiança e alegria têm de repousar sobre o Senhor. Para a maioria de nós, isso representa um desafio. De bom grado abriríamos mão de muitas coisas e as colocaríamos aos pés do Pai celeste. Mas... entregar-lhe *absolutamente tudo*? Isso já não é tão fácil.

Certo jovem havia decidido consagrar sua vida a Deus. Então, ele pegou uma folha de papel e preencheu-a com uma série de promessas. Disse ao Senhor que procuraria ter uma vida correta, que falaria sobre Jesus, que apoiaria a obra missionária, e assim por diante. A lista ficou realmente grande, cheia de itens belos e nobres. Depois de escrevê-la — e sentindo-se muito satisfeito consigo mesmo — o rapaz colocou, no final da página, sua assinatura.

Em seguida, o moço adentrou o templo de sua igreja quando se achava vazio. Ele caminhou até a frente, se colocou de joelhos e estendeu, solenemente, a folha de papel perante o Senhor. "Pai", disse ele, "aqui está a minha oferta, a minha rendição a sua vontade." Contudo, ele achou que alguma coisa estava errada. Não experimentou a paz ou o sentimento de aprovação que tinha imaginado que aquele gesto lhe traria.

"Pai, o que está errado?", perguntou ele a Deus. "O Senhor não gostou da minha atitude? Não aceitou a minha oferta? Será que ficou faltando algo na lista?" O rapaz permaneceu ajoelhado e de olhos fechados aguardando que Deus lhe falasse. Depois de alguns minutos de espera dentro daquele templo vazio, ele finalmente escutou a resposta de Deus. Ela não chegou até ele de forma audível. Ele não viu raios nem clarões. Mas percebeu, no fundo de seu coração, que algumas frases tomavam forma, e identificou, naquelas frases, a voz do Criador. E aquilo que Deus lhe disse pegou-o totalmente de surpresa. O Senhor lhe disse: "Filho, não é isso o que eu quero que você faça. Não desejo que me apresente uma lista. Minha vontade é que faça uma coisa diferente. Quero que você coloque sua assinatura no final de uma folha em branco. E, então, deixe que eu a preencha".

O moço abriu imediatamente os olhos. E, assustado, exclamou: "Oh-oh! Deus, isso já é outra história!".

Nós precisamos aprender o que aquele rapaz acabou descobrindo: que viver em comunhão com o Senhor significa assinar uma página em branco e deixar Deus preenchê-la. Temos de subir o monte, construir o altar, deitar-nos sobre as pedras. Precisamos colocar nas mãos do Altíssimo nosso amor, nossa confiança e nossa alegria.

Fazer uma entrega total é um autêntico desafio. A pequenez de nossa fé nos leva, muitas vezes, a ter receio daquilo que o Senhor possa vir a escrever em nossa folha em branco. E, para dizer a verdade, muito do que ele colocará lá serão coisas que não teríamos imaginado, e, muito menos, pedido. Uma vida de peregrinações sempre envolverá surpresas. Entretanto, estaremos nos confiando a mãos bondosas. E isso quer dizer que, ao chegar ao final da jornada, olharemos para trás e agradeceremos por tudo.

"A condição para receber a bênção completa de Deus é a rendição completa a ele", escreveu Andrew Murray. Que o Senhor receba, portanto, nossa amorosa entrega. Essa é a regra do holocausto: tudo deve ser consumido pelo fogo que arde sobre o altar, nada pode ficar de fora. Na cruz do Calvário, foi o que aconteceu. Ali Jesus se entregou completamente por nós. Derramou, para nossa redenção, até a última gota de sangue. Ele é merecedor de que lhe dediquemos nossa vida. E é por isso que devemos colocá-la sobre o altar.

10
"Deus proverá"

> Nesse momento, o anjo do SENHOR o chamou do céu:
> "Abraão! Abraão!".
> "Aqui estou", respondeu Abraão.
> "Não toque no rapaz", disse o anjo. "Não lhe faça
> mal algum. Agora sei que você teme a Deus de fato.
> Não me negou nem mesmo seu filho, seu único filho!"
> Então Abraão levantou os olhos e viu um carneiro
> preso pelos chifres num arbusto. Pegou o carneiro e o
> ofereceu como holocausto em lugar do filho. Abraão
> chamou aquele lugar de Javé-Jiré. Até hoje, as
> pessoas usam esse nome como provérbio: "No monte
> do SENHOR se providenciará".
>
> GÊNESIS 22.11-14

Nada havia ficado fora do altar. Abraão colocara ali tudo o que tinha: sua devoção, seu filho, seu amor, sua confiança, sua alegria, sua vida, seu coração, sua esperança. A renúncia tinha sido total, a entrega havia sido absoluta. Assim, enquanto o vento frio soprava sobre as alturas de Moriá, o patriarca ergueu a mão que empunhava o cutelo, e se preparou para desferir o golpe fatal.

"Pela fé, Abraão, ao ser posto à prova, ofereceu Isaque como sacrifício", afirmam as Escrituras (Hb 11.17). No dizer da Palavra de Deus, o sacrifício aconteceu. Em um sentido espiritual, o holocausto foi consumado. A Bíblia declara isso porque o servo de Deus havia decidido ir até o fim. Abraão não sabia o que sucederia: se Deus interromperia a ação no último segundo, se Isaque seria ressuscitado, ou se ocorreria algo diferente. De uma coisa, porém, ele tinha certeza: obedeceria ao mandado do Senhor. Por essa razão, o Altíssimo deu a missão por cumprida, e considerou entregue a oferta.

Ao superar nossas provações, o mesmo ocorrerá conosco. Uma vez que tenhamos nos rendido à vontade do Criador, o que vier em seguida não será o mais importante, porque teremos passado no teste e a prova terá realizado sua obra em nós. Talvez não enfrentemos uma separação ou uma perda. Possivelmente um livramento ou uma cura nos alcancem no último momento, trazendo satisfação e alívio. Mas também é possível que isso não aconteça. Seja como for, teremos feito nossa entrega.

Considerando o exemplo dos heróis da fé do Antigo Testamento, o autor de Hebreus escreveu: "Pela fé, eles conquistaram reinos, governaram com justiça e receberam promessas. Fecharam a boca de leões, apagaram chamas de fogo e escaparam de morrer pela espada. Sua fraqueza foi transformada em força. Tornaram-se poderosos na batalha e fizeram fugir exércitos inteiros. Mulheres receberam de volta seus queridos que haviam morrido" (Hb 11.33-35).

Contudo, logo em seguida, o mesmo autor enfatizou: "Outros, porém, foram torturados, recusando-se a ser libertos, e depositaram sua esperança na ressurreição para uma vida melhor. Alguns foram alvo de zombaria e açoites, e outros, acorrentados em prisões. Alguns morreram apedrejados, outros foram serrados ao meio, e outros ainda, mortos à espada. Alguns andavam vestidos com peles de ovelhas e cabras, necessitados, afligidos e maltratados. Este mundo não era digno deles" (Hb 11.35-38).

Segundo o escritor bíblico, um grupo não era mais santo do que o outro, nem mais amado do que o outro. Pelo contrário: "Todos eles obtiveram aprovação por causa da sua fé" (Hb 11.39). Não foi o desfecho da história que igualou aquelas pessoas, mas sim sua disposição de confiar em Deus. A fé daqueles homens e mulheres levou-os a alcançar a aprovação de Deus, e fez que pudessem ser considerados filhos de Abraão. Nossa fé fará o mesmo conosco.

Algo fantástico acontece quando nos entregamos nas mãos do Senhor. Os personagens da "Galeria dos heróis da fé" do livro de Hebreus descobriram isso, e nós podemos viver a mesma experiência. Esse foi o caso de Abraão. Ao chegar ao topo do monte para o qual Deus o havia enviado, ele foi apresentado a algumas verdades importantíssimas. Vejamos que verdades foram essas. Talvez descubramos que são as mesmas que nos são descortinadas por nossas provações.

O Deus que cala é o Deus que fala

Depois de ouvir uma ordem desconcertante, Abraão teve de lidar com o silêncio do Senhor. Os céus ficaram mudos por três dias, e é possível que, durante aquele tempo, o patriarca tenha se sentido confuso e só. Entretanto, Deus não havia abandonado seu servo. O Criador apenas estava aguardando o instante certo de pronunciar-se. Esse instante chegou quando Abraão ergueu a faca preparando-se para imolar Isaque.

"Abraão! Abraão!", clamou o anjo do Senhor desde o céu. "Aqui estou!", respondeu o patriarca. "Não toque no rapaz! Não lhe faça nenhum mal!", prosseguiu a voz celestial. "Agora sei que você realmente teme a Deus. Você não me negou nem mesmo seu filho, seu único filho!"

A voz que Abraão ouviu interrompeu suas ações e trouxe grande alívio a sua alma. Mas isso não foi tudo. Ela também lhe trouxe uma nova compreensão espiritual. Naquele momento o patriarca recebeu uma revelação do Senhor e passou a conhecê-lo mais intimamente. Ele alcançou uma visão maior e mais clara do Deus de quem era amigo.

Em várias ocasiões a Bíblia Sagrada relata a aparição de anjos. Esses seres maravilhosos servem ao Criador, e são enviados para auxiliar seus servos fiéis. Nas Escrituras são mencionados arcanjos, querubins e serafins. Mas há passagens bíblicas em que o "anjo do Senhor" não é um desses enviados, e sim o próprio Senhor — ou, por assim dizer, "o Senhor na forma de anjo". Chamamos isso de teofania, ou manifestação perceptível de Deus. Muitos estudiosos acreditam que nessas passagens estamos diante de uma aparição do Cristo pré-encarnado.

Ao que tudo indica, foi o que ocorreu em Moriá. Quem falou com Abraão foi o próprio Deus, e não apenas um de seus mensageiros angelicais. "Você não me negou nem mesmo seu filho, seu único filho", disse a voz celeste. Bem, sabemos que foi ao Senhor, e não a um de seus mensageiros, que Abraão se dispôs a oferecer Isaque em holocausto. Portanto, concluímos que era o Senhor mesmo quem estava se pronunciando.

Sim, foi a voz de Deus que Abraão escutou. E nós também a escutaremos no momento certo. Até lá, o que precisamos fazer? Temos de manter nossa fé firme e conservar os ouvidos atentos. O Deus que se silencia é, também, o Deus que se pronuncia. Na hora certa, ele dirá o que precisamos ouvir. E, quando isso acontecer, não apenas receberemos conforto e direção. Seremos realmente transformados. Alcançaremos uma nova compreensão do Todo-poderoso, passando a conhecer a Deus mais e melhor e desfrutando de intimidade com o Pai.

O Deus que testa é o Deus que testifica

Ao falar a Abraão, o Senhor lhe disse: "Agora sei que você teme a Deus de fato". O Criador declarou que o "Pai da fé" havia passado no teste. Ele comunicou ao patriarca sua aprovação. Elogiou a fidelidade e a integridade demonstradas por seu servo. Expressou, abertamente, seu contentamento. Essa é mais uma das verdades que aprendemos sobre o Altíssimo. O Deus que testa é o Deus que testifica. O mesmo Deus que aplica a prova faz questão de dar a nota.

No último livro da Bíblia encontramos o Senhor fazendo uma promessa a alguns cristãos que, apesar das perseguições, haviam permanecido fiéis. Ele diz à igreja de Filadélfia: "Sei de tudo que você faz. Abri para você uma porta que ninguém pode fechar. Você tem pouca força, mas ainda assim obedeceu à minha palavra e não negou meu nome. Veja, obrigarei aqueles que pertencem à sinagoga de Satanás — os mentirosos que se dizem judeus, mas não são — a virem, prostrarem-se a seus pés, e reconhecerem que amo você" (Ap 3.8-9).

Como podemos ver, de Gênesis a Apocalipse o Senhor se revela como um Pai que reconhece e valoriza a dedicação de seus filhos. Nossas lutas não passam em branco aos olhos do Todo-poderoso, e nossos progressos não deixam de receber sua aprovação. O Criador testemunha nossas aflições e elogia nossos esforços. Ele diz que manifestará sua satisfação com relação a nós e a tornará pública. Ele promete que honrará aqueles que o honram. Afirma que fará tudo isso pelo grande amor que tem por nós.

"Agora sei que você teme a Deus de fato", testificou o Senhor a respeito de Abraão. O que Deus quis dizer com as palavras "agora sei"? Será que, antes, ele não sabia? Isso seria algo contraditório, porque Deus é onisciente. Mas há outra maneira de entendermos a declaração bíblica. No original hebraico, as palavras usadas são *yadati attah*, que podem ser traduzidas como "conheço agora". Elas indicam que Deus presenciara Abraão manifestar aquilo que ele já sabia estar no coração do patriarca.

Em nossa forma ocidental de pensar (herdada dos antigos gregos), associamos a palavra "conhecimento" a descobertas intelectuais. Mas na mentalidade hebraica as coisas eram diferentes. Para os antigos hebreus, conhecer algo ou alguém significava ter uma experiência íntima com essa coisa ou pessoa. Para eles, "conhecimento" queria dizer "ficar sabendo por experiência". (Na Bíblia, essa mentalidade fica tão evidente que a expressão "conhecer" chega a ser usada, repetidas vezes, como sinônimo de relações sexuais.)

O objetivo do teste não era que Deus descobrisse algo, mas que a fé de Abraão se tornasse conhecida visivelmente. Portanto, o que Deus estava dizendo era que ele tinha visto Abraão manifestar exteriormente aquilo que sabia existir em seu interior. Havia testemunhado o patriarca autenticar sua confiança por meio de sua obediência. Tinha ficado sabendo por experiência. É esse o sentido que acompanha a ideia bíblica de "conhecer".

> "Agora sei" são palavras com sentido antropomórfico, pois Deus não fica sabendo das coisas. Seu conhecimento foi apenas confirmado pelo ato de obediência de Abraão, uma obediência absoluta e inquestionável.
>
> R. N. Champlin[1]

Do que foi que o Senhor manifestou seu conhecimento e deu testemunho? Do temor de Abraão. "Agora sei que você teme a Deus de fato", ele disse. Nas Escrituras Sagradas, temer ao Senhor não quer dizer sentir medo dele, mas segui-lo em obediência incondicional. Uma pessoa temente a Deus não é alguém que tem medo de seu Criador, uma vez que "o perfeito amor afasta todo medo" (1Jo 4.18). É, isto sim, uma pessoa que respeita o Senhor, que tem reverência pelo seu nome e que procura fazer o que lhe apraz.

Temer ao Senhor significa amá-lo verdadeiramente. Deus elogiou Abraão por isso, e nós precisamos seguir seu exemplo se quisermos receber palavras semelhantes. No dizer de Arival Dias Casimiro, "O temor a Deus é a joia perdida na igreja de hoje". Muitas pessoas perderam o respeito e a reverência pelo Criador. Isso fez surgir uma geração de indivíduos religiosos que afirmam amar a Deus ao mesmo tempo que lhe desobedecem abertamente. Tais pessoas estão apenas mentindo para si mesmas. Precisamos temer a Deus se quisermos ser aprovados como Abraão o foi.

O Deus que prova é o Deus que provê

Depois de ouvir a voz de Deus e de receber sua aprovação, Abraão ergueu os olhos. Examinando o ambiente ao redor, ele acabou localizando um carneiro preso pelos chifres a um arbusto. O patriarca, então, retirou Isaque do altar e ofereceu o animal em holocausto em lugar de seu filho. Dessa maneira, o teste chegou ao fim, mas a adoração continuou.

Segundo a Bíblia, Abraão chamou aquele lugar de Javé-Jiré, expressão que significa "o Senhor providenciará". Ainda de acordo com o texto sagrado, a expressão passou a ser usada pelos israelitas na forma de um provérbio nos anos que se seguiram. "No monte do Senhor se providenciará", diriam aqueles que viriam depois de Abraão.

Foi assim que o "Pai da fé" ficou conhecendo mais uma verdade a respeito do Senhor. Ele já havia constatado que o Deus que cala é o Deus que fala, e que o Deus que testa é o Deus que testifica. Agora, descobria, também, que o Deus que prova é o Deus que provê. Certamente, naquele momento ele se recordou do que dissera a Isaque: "Deus providenciará o cordeiro para o holocausto, meu filho" (Gn 22.8). Que experiência maravilhosa! Sua declaração de fé havia se cumprido de uma forma que nem ele mesmo pudera imaginar.

"Fé é crer no que não se vê, e a recompensa da fé é ver o que se crê", escreveu Agostinho de Hipona. Foi isso o que aconteceu com Abraão. Ele se lembrou do que tinha dito em uma hora de grande angústia, em que tinha ousado "crer contra a esperança". Com base naquela recordação, o servo de Deus deu ao lugar o nome de Javé-Jiré, ou "o Senhor providenciará". Séculos mais tarde, naquela mesma região, Deus providenciaria um Cordeiro para substituir não apenas Isaque, mas todos os que creem.

A esta altura da história, encontramos algumas lições valiosas que merecem ser destacadas. De certa forma, elas representam o ápice da experiência de Abraão e da própria narrativa bíblica que estamos considerando. São revelações preciosas que devemos reter e praticar. Podemos elencá-las da seguinte maneira:

1. *O lugar da provisão é o lugar da obediência.* "No monte do Senhor se providenciará", diriam aqueles que viriam depois de Abraão. No monte, e não fora dele. No monte, e não antes dele. O Senhor já havia tomado providências para que um carneiro ficasse emaranhado em um arbusto no topo do Moriá. Ao pé da montanha, entretanto, Abraão não tinha como saber disso. Era algo que ele só poderia ver quando chegasse ao lugar do sacrifício. Portanto, sejamos obedientes e avancemos pela fé. Deus não nos dará hoje aquilo de que só precisaremos amanhã. No local e na hora certos, o Senhor proverá.

2. *Precisamos erguer a cabeça se quisermos ver o que Deus tem providenciado.* De acordo com o relato bíblico, foi só quando Abraão levantou os olhos que enxergou o carneiro preso pelos chifres. É provável que o animal já estivesse lá havia algum tempo. Mas o patriarca — de cabeça baixa, olhos marejados de lágrimas e coração dominado pela dor — não tinha sido capaz de percebê-lo. Da mesma maneira, nós, muitas vezes, deixamos de enxergar o cuidado de Deus para conosco em meio a nossas aflições. Ergamos os olhos, procuremos ao redor e descobriremos que o Senhor já começou a operar milagres.

3. *Podemos confiar em Deus para o suprimento de nossas necessidades.* Houve uma época em que Abraão acreditou que precisava resolver as coisas a sua maneira. Por isso ele migrou para o Egito, negou que Sara fosse sua esposa e gerou um filho através de uma serva. Àquela altura da vida, contudo, o patriarca já tinha aprendido a depender do Senhor. De igual forma, Deus quer revelar-se a nós como Javé-Jiré, o Deus que

provê. E o momento oportuno para isso é aquele em que nos vemos em algum tipo de aperto. "Toda vez que Deus coloca você em uma posição de necessidade, está lhe dando a oportunidade de experimentar em primeira mão que ele é seu provedor", escreveu William Blackaby. Cabe a nós confiar no Senhor e permitir que isso se concretize.

4. *Deus não nos pedirá que façamos nada além daquilo que ele mesmo fez.* Por maiores que sejam os sacrifícios que precisemos realizar, eles não podem ser comparados com aquele que o próprio Deus levou a termo. É por isso que não devemos duvidar do amor do Senhor por nós. Moriá foi uma miniatura do Calvário, onde o Pai celestial não poupou seu Unigênito. Ao impedir que Abraão imolasse Isaque, o Senhor estava como que dizendo: "Veja, Abraão, eu não vou exigir que você sacrifique o seu filho, mas eu vou sacrificar o meu". De fato, para Cristo não foi providenciado nenhum carneiro preso pelos chifres, porque ele era o próprio Cordeiro enviado para resgatar a humanidade. Ele era a própria providência de Deus.

5. *Não temos de prover aquilo que Deus já proveu.* O sangue de Jesus, derramado na cruz em nosso lugar, é suficiente para a redenção de nossa alma. Nada precisamos acrescentar aos méritos de Cristo. Nossa salvação não será conquistada mediante sacrifícios pessoais, cerimônias religiosas ou obras de qualquer espécie. Há muita gente tentando providenciar aquilo que o Senhor já providenciou. "Está consumado", disse o Messias com seu último suspiro (Jo 19.30). No cume do Gólgota há uma bandeira que, tremulando, proclama: "Deus proverá!". O Senhor proveu o que era necessário para nossa redenção. Nada no universo seria capaz de comprar uma propiciação semelhante, nenhum bom comportamento

nos tornaria dignos de merecê-la. Entretanto, ela nos é oferecida gratuitamente. Só o que temos de fazer é nos arrepender de nossos pecados e crer em Cristo como nosso único e suficiente Salvador.

Assim, como podemos ver, muitos foram os ensinos encontrados no alto do Moriá. E como Abraão chegou até eles? Através das provações e da fé. O patriarca foi conduzido por Deus às alturas de uma experiência transformadora, e ali alcançou uma nova visão do Senhor, da vida e da eternidade. Podemos ter confiança de que Deus lidará conosco da mesma forma. Nossa jornada não será isenta de desafios, mas o Pai celestial nos ajudará a superá-los. Ele estará conosco todos os dias. Em Cristo, ele nos conduzirá em triunfo.

***

Dirigindo-se ao Senhor, o profeta Isaías declarou: "Porque desde o começo do mundo, nenhum ouvido ouviu e nenhum olho viu um Deus semelhante a ti, que trabalha em favor dos que nele esperam" (Is 64.4). Realmente, Deus é incomparável. Ele trabalha em nosso favor. Ele traça planos para nossa vida. Ele se revela como nosso provedor. Tudo o que temos que fazer é esperar nele.

Costumamos fazer muitos pedidos ao Senhor, ao passo que ele só nos pede uma coisa: "Confie em mim!". Entretanto, como encontramos dificuldade para atender a esse único requerimento! Por mais que tenhamos vivido experiências com o Criador, cada nova tribulação parece nos atingir como se fosse a primeira. Facilmente nos esquecemos dos livramentos passados, do auxílio que nunca nos faltou, do amor que foi demonstrado na cruz.

Colocar nossa confiança em Deus é fundamental. Acreditar que o Senhor providenciou, providencia e providenciará o que nos é necessário é aquilo que nos fará alcançar o destino almejado. E a verdade é que sempre temos de confiar em algo ou em alguém. Podemos apostar nossas fichas na própria capacidade, na força dos números, nos recursos da tecnologia ou no poder do dinheiro. Mas só estaremos seguros se depositarmos nossa fé no Deus que provê.

Muito tempo atrás, um grupo de pessoas estava atravessando uma ponte de madeira que corria sobre um rio caudaloso. A forte correnteza acabou por derrubar a ponte, fazendo com que dois homens fossem lançados às águas revoltas. Desesperados, eles começaram a se debater em uma tentativa de alcançar a margem e salvar a vida. Dezenas de metros adiante, esperava-os uma grande cachoeira, e certamente a morte.

As demais pessoas do grupo correram pelas margens tentando acompanhar os dois homens, vendo o perigo em que se achavam. Elas atiraram a ponta de uma corda em sua direção, gritando: "Segurem a corda, e nós os puxaremos para a margem!". Um daqueles homens nadou em direção à corda e conseguiu pegá-la. O outro, contudo, agarrou-se a alguns destroços da ponte que flutuavam ao lado, buscando manter-se à tona.

A decisão tomada por cada um acabou por definir o final da história. Aquele que tinha segurado a corda foi puxado por seus amigos, são e salvo, para fora do rio. Seu companheiro, em contrapartida, foi tragado junto com os troncos a que se agarrara para a queda d'água, e nunca mais foi visto. Em que consistiu a diferença? Ambos precisaram confiar em alguma coisa. Mas a corda estava conectada a algo sólido, e por isso podia oferecer real socorro. Já os destroços flutuavam na mesma torrente que o homem apegado a eles, mas não tinham condição de salvá-lo.

Quando Jesus Cristo veio ao mundo, Deus estava nos lançando uma corda. Se nos apegarmos a ele pela fé, ficaremos bem. Infelizmente, com muita frequência somos tentados a colocar a confiança em nós mesmos ou nas coisas deste mundo. Se cedermos a esse impulso, nos exporemos a sérios riscos e deixaremos de crescer espiritualmente. Então, qual será nossa decisão? Neste exato momento, o Senhor está nos dizendo: "Confie em mim!". Dando ouvidos a sua voz, não seremos levados pelas corredeiras que têm arrastado a tantos.

"A jornada da fé é o longo caminho no qual aprendemos a confiar menos em nós e mais em Deus", escreveu Ricardo Barbosa. Essa jornada levou Abraão desde Ur dos caldeus até o topo do Moriá, culminando em um encontro inesquecível com Javé-Jiré, o Deus que provê. Aonde ela levará cada um de nós? Certamente, as experiências de cada cristão são únicas. Mesmo assim, todas elas guardam semelhanças com a história de Abraão, o pai dos que creem. Conduzem-nos a um aprendizado de confiança. Ensinam-nos a esperar no Senhor.

Depositemos em Cristo nossa confiança e descobriremos que, sejam quais forem as dificuldades e necessidades, Javé-Jiré estará conosco. O Senhor providenciará!

11
As recompensas da obediência

> Então o anjo do SENHOR chamou Abraão novamente do céu: "Assim diz o SENHOR: Uma vez que você me obedeceu e não me negou nem mesmo seu filho, seu único filho, juro pelo meu nome que certamente o abençoarei. Multiplicarei grandemente seus descendentes, e eles serão como as estrelas no céu e a areia na beira do mar. Seus descendentes conquistarão as cidades de seus inimigos e, por meio deles, todas as nações da terra serão abençoadas. Tudo isso porque você me obedeceu".
>
> GÊNESIS 22.15-18

O preço da obediência é alto: Abraão que o diga! Mas a recompensa por fazermos a vontade de Deus também é grande. Uma vez que os objetivos da prova tenham sido alcançados — produzindo o efeito desejado em nós e por nosso intermédio —, o Senhor dará o teste por encerrado e nos entregará o prêmio da fidelidade.

Jesus Cristo é nosso maior modelo de obediência e dos ganhos que a acompanham. De acordo com a Bíblia, ele, "embora sendo Deus, não considerou que ser igual a Deus fosse algo a que devesse se apegar. Em vez disso, esvaziou a si mesmo; assumiu a posição de escravo e nasceu como ser humano. Quando veio em forma humana, humilhou-se e foi obediente até a morte, e morte de cruz. Por isso Deus o elevou ao lugar de mais alta honra e lhe deu o nome que está acima de todos os nomes, para que, ao nome de Jesus, todo joelho se dobre, nos céus, na terra e debaixo da terra, e toda língua declare que Jesus Cristo é Senhor, para a glória de Deus, o Pai" (Fp 2.6-11).

Além de nos legar um exemplo de obediência, o Salvador deixou-nos, igualmente, promessas quanto a sua recompensa. Ele afirmou: "Todos que tiverem deixado casa, irmãos, irmãs, pai, mãe, filhos ou propriedades por minha causa receberão em troca cem vezes mais e herdarão a vida eterna" (Mt 19.29). Compensa servir ao Senhor! A desobediência, em contrapartida, pode até acenar com um caminho mais fácil, mas faz promessas ilusórias. Os custos da rebeldia são altíssimos, tanto neste mundo quanto no vindouro. Fazer a vontade de Deus não é apenas uma questão de confiança, mas também de inteligência. "Crer em Cristo é a maior decisão da vida; conhecer a Cristo é a maior alegria da vida; obedecer a Cristo é a maior sabedoria da vida", afirmou Steven Lawson.

Essa verdade ficou evidente na conclusão da história do sacrifício de Abraão. Depois de encerrar a prova e de felicitar o patriarca, o Senhor lhe falou sobre os prêmios que ele receberia por sua lealdade. O que Deus prometeu a Abraão é o mesmo que ele tem dado, no decorrer dos séculos, a seus servos fiéis. Não poderia haver melhor desfecho para o episódio bíblico, nem melhor incentivo para que permaneçamos firmes em nossas lutas.

Quando obedecemos, somos abençoados

A primeira coisa que o Todo-poderoso disse a Abrão foi: "Uma vez que você me obedeceu e não me negou nem mesmo seu filho, seu único filho, juro pelo meu nome que certamente o abençoarei".

Deus já havia prometido abençoar Abraão anteriormente. Ao chamá-lo em Ur dos caldeus, vários anos antes, disse-lhe que o agraciaria, o protegeria e o tornaria famoso (Gn 12.2). Portanto, em termos de conteúdo, o pronunciamento do Senhor em Moriá não parecia trazer novidades. Havia ali, contudo, algo diferente: dessa vez, o Criador se interpôs com juramento. "Juro pelo meu nome que certamente o abençoarei", ele falou.

Aquilo era uma coisa nova. Por que o Senhor fez um juramento ao patriarca? Examinando as Escrituras, descobrimos que o motivo foi reafirmar a promessa feita anteriormente, dissipando qualquer dúvida que pudesse existir na mente de Abraão ou na nossa.

O autor de Hebreus teceu um arrazoado a esse respeito. Ele disse: "Considerem a promessa de Deus a Abraão. Uma vez que não havia ninguém superior por quem jurar, Deus jurou por si mesmo. Disse ele: 'Certamente o abençoarei e multiplicarei grandemente seus descendentes'. Então Abraão esperou com paciência, e recebeu o que lhe fora prometido. Quando a pessoa faz um juramento, invoca alguém maior do que ela. E, sem dúvida, o juramento implica uma obrigação. Deus também se comprometeu por meio de um juramento, para que os herdeiros da promessa tivessem plena convicção de que ele jamais mudaria de ideia. A promessa e o juramento não podem ser mudados, pois é impossível que Deus minta. Portanto, nós que nele nos refugiamos estamos firmemente seguros ao nos apegarmos à esperança posta diante de nós" (Hb 6.13-18).

Há dois pontos interessantes aqui. O primeiro consiste no fato de que o Senhor não precisava jurar. Sua promessa já era suficiente. Afinal, se é costume afirmar-se que "palavra de rei não volta atrás", o que dizer, então, da Palavra de Deus? O segundo ponto consiste na dificuldade que seria, para o Criador, fazer um juramento. Quando as pessoas juram o fazem invocando algo ou alguém maior que elas, e nada é maior que Deus. Mas o texto bíblico afirma que o Senhor superou essa dificuldade jurando por si mesmo, por seu próprio nome. E ele diz também que Deus fez isso para que não houvesse dúvidas em nosso coração.

A fim de assegurar a todo filho de Deus que sua esperança está bem fundada e que não pode resultar em decepção, duas coisas — nas quais é impossível que Deus minta — estão unidas e entrelaçadas para fazer um cabo que se liga à âncora da esperança: uma é a promessa de Deus, e outra é o juramento de Deus.

B. H. Carrol[1]

A confirmação de Moriá, portanto, não foi dada por conta de qualquer fragilidade da Palavra do Senhor, e sim por causa da debilidade de nossa fé. Ela foi, por si só, um prêmio que Abraão alcançou. Agora, ele tinha a sustentá-lo não apenas a promessa de Deus, mas também o juramento de Deus. E esse prêmio não beneficiou apenas a Abraão. Pelo contrário, alcançou a todos nós, seus filhos espirituais. Por meio dele, passamos a contar com ainda mais motivos para crer. Nas palavras de F. B. Meyer, "As promessas e juramentos de Deus constituem uma porta dupla na qual estão em segurança todos os que buscam refúgio".

Se formos obedientes, o Senhor nos abençoará. Temos sua promessa. Temos seu juramento. Podemos nos apegar firmemente à esperança posta diante de nós, porque é impossível que Deus minta. Que verdade maravilhosa! A obediência é o terreno fértil do qual os milagres brotam.

Quando obedecemos, somos enriquecidos

O "Pai da fé" foi um dos homens mais prósperos da antiguidade. A Bíblia afirma que "Abrão era muito rico, e tinha muitos rebanhos, prata e ouro" (Gn 13.2). Seus vizinhos lhe diziam: "É evidente que Deus está com você, ajudando-o em tudo que faz" (Gn 21.22). E testemunhando a respeito dele, um de seus empregados disse: "O Senhor abençoou grandemente o meu senhor, e ele se tornou um homem rico. O Senhor lhe deu rebanhos de ovelhas e bois, uma fortuna em prata e ouro, e muitos servos e servas, camelos e jumentos" (Gn 24.34).

A fortuna de Abraão, contudo, nunca lhe encheu os olhos. Em momento algum ele colocou seu coração nas coisas materiais. Jamais permitiu que aquilo lhe subisse à cabeça. Como um homem sábio, o patriarca dava mais valor a seu relacionamento com Deus, à família, às amizades, à santidade e à paz. E o Senhor o tornou, também, rico de tudo isso.

"Multiplicarei grandemente seus descendentes, e eles serão como as estrelas no céu e a areia na beira do mar", disse Deus a seu servo após o triunfo alcançado no monte (Gn 22.17). Mais uma vez, o Criador não estava falando algo exatamente novo. Ele já havia prometido ao patriarca que seus descendentes seriam tão numerosos quanto as estrelas ou os grãos de areia. Todavia, naquele instante a promessa adquiria um significado especial. Afinal, poucos segundos antes

Abraão estivera a ponto de sacrificar Isaque. Então, o que o Altíssimo estava lhe dizendo era: "Como você não me negou seu único filho, eu lhe darei milhões de filhos".

É assim que aprendemos este importante princípio espiritual: quando obedecemos, somos enriquecidos. Dispondo-se a abrir mão do que tinha através de um ato de fé, Abraão o conservou, e ainda recebeu infinitamente mais. Ele ganhou numerosos descendentes físicos, e uma quantidade ainda maior de descendentes espirituais. Infelizmente, muitas vezes somos dominados por uma mentalidade de pobreza. Apegamo-nos àquilo que possuímos, recusamo-nos a compartilhar e receamos que algo nos seja tirado. É como se um espírito de avareza se infiltrasse, como erva daninha, pelas frestas de nossa alma. É preciso arrancá-lo pela raiz.

Existe uma lenda a respeito de um mendigo que, certa manhã, pedia esmolas à beira da estrada quando viu aproximar-se um grupo de cavaleiros. Prestando atenção, descobriu que se tratava do rei e seus soldados. O homem ficou animado com a expectativa de receber alguma coisa, e se dirigiu aos cavaleiros com a mão estendida. Mas o soberano, do alto de sua montaria, lhe fez uma pergunta: "Que tens para ofereceres a teu rei?".

O pedinte ficou surpreso e decepcionado com o que ouviu. Que espécie de brincadeira era aquela? Um rei pedindo esmola para um mendigo? Ele mal podia esconder seu descontentamento! Olhando ao redor, deparou-se com a tigela com alguns grãos de arroz que seriam seu almoço. Relutantemente, foi até ela, apanhou um dos menores grãos e depositou-o sobre a mão do monarca.

O rei fechou a mão e tornou a abri-la em seguida. Para grande espanto do mendigo, o grão de arroz havia se transformado em um grão de ouro! Então, o soberano entregou o pequenino grão ao mendigo, esporeou o cavalo e seguiu em frente, acompanhado dos soldados. O homem foi deixado para trás em meio a uma nuvem de poeira. E, enquanto golpeava a cabeça com as mãos, dizia a si mesmo: "Como fui burro! Por que não entreguei todo o arroz da tigela?".

"Que tens para ofereceres a teu Rei?" Raramente fazemos a nós próprios essa pergunta. No entanto, ela descortina um dos maiores segredos da vida. Quando obedecemos, somos enriquecidos. Quando abençoamos, somos abençoados. "Quem dá com generosidade se torna mais rico, mas o mesquinho perde tudo", diz a Bíblia (Pv 11.24). Resistamos, portanto, à tentação da desconfiança, da avareza e da mesquinhez.

O diabo sempre tentará fazer-nos desconfiar de Deus. Satanás buscará inculcar em nossa mente a suspeita de que o Pai celestial não é bom o bastante, de que ele reluta em nos conceder sua graça ou de que ele não deseja nosso bem. A verdade, contudo, é bem diferente. Deus, por seu grandioso poder que opera em nós, é capaz de realizar infinitamente mais do que poderíamos pedir ou imaginar.

Quando obedecemos, somos vencedores

A terceira coisa que o Senhor disse a Abraão foi que seus descendentes alcançariam grandes vitórias. Agora, havia um elemento novo no pronunciamento do Criador. Ele já havia prometido ao patriarca que seus filhos seriam numerosos. Naquele momento, lhe assegurava, também, que seriam vitoriosos. O Todo-poderoso declarou: "Seus descendentes conquistarão as cidades dos seus inimigos" (Gn 22.17). (Ou, como dizem outras traduções, "A tua descendência possuirá a porta dos seus inimigos".).

Ao longo dos séculos, a humanidade ficaria admirada não apenas com a quantidade de descendentes que Abraão teria, mas também com as coisas formidáveis que realizariam. Que esplêndida promessa! Os filhos de Abraão conquistariam as cidades de seus adversários. Possuiriam as portas de seus oponentes. É possível que Jesus tivesse essa passagem das Escrituras em mente quando declarou: "Sobre esta pedra edificarei minha igreja, e as forças da morte não a conquistarão" (ou "e as portas do inferno não prevalecerão contra ela") (Mt 16.18).

Não estamos isentos de lutas; temos, porém, a garantia da vitória. Ao longo dos anos, o cristianismo tem se espalhado pelo mundo, superando todo tipo de perseguição. Contrariando a lógica e a expectativa humanas, um pequeno grupo de discípulos do primeiro século não apenas sobreviveu, mas se expandiu grandemente. A Palavra do Senhor tem se cumprido, e as portas do inferno cedem perante a marcha do povo de Deus. Numa incessante batalha pelas almas, vidas são salvas, transformadas e abençoadas. A igreja avança.

Da mesma forma como conquistamos vitórias em grupo, triunfamos, também, como indivíduos. Cada soldado do exército de Cristo é um vencedor. Seguimos um General que não pode ser derrotado e, quando cumprimos suas ordens, realizamos proezas. Ao olhar para trás, podemos ver obstáculos superados, adversários derrotados, cadeias quebradas e sonhos realizados. Apesar de nossa fragilidade e de nossas limitações, somos mais do que vencedores por meio de Cristo, que nos amou. Tudo isso acontece por causa da fidelidade do Senhor.

Não é fácil lidar com as dificuldades e as lutas da vida. Batalhas são brigas feias, e é claro que isso se aplica aos combates da existência. Em alguns momentos nos vemos diante de inimigos poderosos, ou, até mesmo, de batalhões inteiros deles. Temos de enfrentar doenças, crises familiares, problemas financeiros, desentendimentos, angústias, perdas e separações. Nessas horas de conflito, o coração se apequena. Lágrimas afloram no rosto. Sentimos a fé oscilar, e chegamos a temer pelo pior.

E é então que clamamos pelo socorro de Deus. Erguemos aos céus os pedidos, e de lá nos vem a garantia de que tudo ficará bem. O Redentor caminha a nosso lado. Ele guerreia conosco, nos renova as forças e nos dá seu amparo. Sustentados por esse auxílio, conseguimos chegar ao fim de mais um dia, superar uma nova etapa e seguir adiante. E, aos poucos, as nuvens vão se dissipando, os adversários batem em retirada e as ondas impetuosas se acalmam. A bandeira da vitória é hasteada, altaneira, sobre o monte das tribulações. Alcançamos uma nova vitória, e vivemos uma experiência marcante com o Senhor.

Deus não prometeu que os descendentes de Abraão seriam poupados de combates. Ele disse, isto sim, que eles seriam guardados das derrotas. Nós, que somos filhos espirituais de Abraão, podemos nos firmar nessa promessa. Ela traz à memória o exemplo do próprio "Pai da fé": afinal, poucas pessoas se depararam com tantas lutas quanto Abraão. Mas assim como aquele homem de Deus venceu, nós também triunfaremos, e pelo mesmo motivo. Portanto, permaneçamos firmes. Não podemos desistir, não podemos nos entregar, não podemos nos render. "Coragem é o medo aguentando um pouquinho mais", escreveu Thomas Fuller. Portanto, aguentemos um pouco mais e sigamos adiante, porque aquele que prometeu é fiel.

Quando obedecemos, somos usados por Deus

Uma das grandes alegrias da vida é sentir-se usado por Deus. Nossa existência carece de sentido. Queremos ter a certeza de que a passagem por este mundo não será em vão. E quando descobrimos que o Senhor está fazendo de nós seus instrumentos para abençoar as pessoas, tudo ganha uma nova perspectiva. Cordas esticadas produzem sinfonias, joias lapidadas cintilam de beleza e grãos triturados se transformam em alimento. Da mesma maneira, vidas que são moldadas pelo Senhor se tornam vasos de suas bênçãos.

"Seus descendentes conquistarão as cidades de seus inimigos e, por meio deles, todas as nações da terra serão abençoadas. Tudo isso porque você me obedeceu", disse o Criador a Abraão (Gn 22.17-18). O Senhor assegurou ao patriarca que multidões seriam beneficiadas por seu gesto de fé. Abraão e seus descendentes abençoariam pessoas de todas as nações da terra. Essa profecia se cumpriu quando Jesus, um descendente de Abraão, trouxe redenção à humanidade. E ela continua se cumprindo cada vez que seus discípulos anunciam sua mensagem e compartilham seu amor.

A aliança do Senhor com Abraão possuía um caráter muito amplo. Ela incluía não apenas promessas pessoais (como receber uma terra e um filho) e nacionais (como dar origem a um povo), mas também um propósito de natureza universal (prover a remissão da humanidade por meio da fé em Cristo). O Todo-poderoso queria mostrar sua bondade a Abraão e revelar sua benignidade através dele. E porque o patriarca se submeteu ao plano divino, foi exatamente o que aconteceu.

Não é possível exagerar a importância de buscarmos o querer de Deus. No jardim do Éden, a desobediência de

Adão e Eva atraiu sofrimento para o planeta inteiro, porque eles pensaram: "Não desejamos fazer a vontade de Deus, e sim a nossa". No jardim do Getsêmani, a obediência de Jesus trouxe salvação para todos os que creem, porque ele disse: "Pai, não se faça a minha vontade, e sim a tua". Que grande diferença há entre os efeitos da rebeldia e os resultados da submissão! Ao fazer a vontade do Pai, estamos, sempre, abençoando vidas.

Em 1861, um pastor metodista chamado William Booth deixou seu ministério à frente de uma igreja em Londres por sentir que Deus o convocava para servir diretamente aos desprovidos e necessitados. Naqueles dias havia muita pobreza na Inglaterra, e o próprio Booth encontrou dificuldades para sustentar a família após deixar o pastorado. Tinha, entretanto, a convicção de estar fazendo a vontade de Deus. E, movido por essa certeza, seguiu em frente.

Em 1865, Booth criou uma organização conhecida como "Exército de Salvação", que visava levar a Palavra de Deus e amparo social a pessoas carentes. Contagiados por seu entusiasmo, milhares de cristãos se uniram a ele. Os becos e cortiços de Londres — e, posteriormente, do mundo inteiro — foram invadidos por voluntários que distribuíam alimentos, remédios e roupas. Hospitais foram construídos. Orfanatos foram abertos. Vidas foram restauradas. E o mundo foi impactado pelo trabalho de Booth e seus liderados.

Hoje, o Exército de Salvação está presente em 126 países, prestando um serviço de valor inestimável. E isso só foi possível porque um homem se dispôs a seguir a Cristo e travar o bom combate. Pouco antes de falecer, aos 83 anos, William Booth disse em sua última pregação: "Enquanto mulheres chorarem, como choram agora, eu lutarei! Enquanto crianças passarem fome como passam agora, eu lutarei! Enquanto homens passarem pelas prisões, entrando e saindo, entrando e saindo, eu lutarei! Enquanto houver um bêbado caído, enquanto houver uma jovem sem rumo andando pelas ruas, enquanto restar uma alma perdida sem a luz de Deus, eu lutarei! Até ao fim, eu lutarei!".[2]

Quando nos dispomos a obedecer, somos poderosamente usados pelo Senhor. "Eu não estou esperando um mover de Deus; eu sou um mover de Deus", afirmou William Booth. Poderíamos almejar um ideal maior para nossa vida? Uma vez que estejamos sendo usados pelo Senhor como instrumentos de sua graça, tudo valerá a pena. Sendo assim, coloquemo-nos nas mãos do Altíssimo, crendo que ele fará tudo concorrer para um propósito nobre. "Fora da vontade de Deus não existe sucesso; dentro dela, não existe fracasso", escreveu John Piper. Quando obedecemos, somos usados por Deus. Quando obedecemos, abençoamos vidas.

* * *

O chamado para andar com Deus traz consigo grandes implicações. Seremos desafiados, testados e moldados. Precisaremos realizar sacrifícios, abrir mão de coisas importantes e colocar tudo sobre o altar. Mas também seremos abençoados e enriquecidos. Cresceremos espiritualmente, contemplaremos milagres e viveremos grandes experiências com Cristo. Ao longo do processo, o poder de Deus nos transformará em pessoas melhores. Alcançaremos vitórias memoráveis. Seremos usados pelo Criador.

Sendo assim, depositemos tudo sobre as mãos do Pai celestial, na convicção de que elevados são os ganhos da obediência. "Sejam fortes e corajosos, pois o seu trabalho será recompensado", diz-nos a Palavra de Deus (2Cr 15.7). Nossos olhos verão a colheita daquilo que foi semeado. Nosso coração se alegrará pelos feitos do Senhor.

> O Senhor espera muito daqueles que afirmam confiar nele. Os rigores e os riscos da fé precisam ser assombrosos; caso contrário, não se trata realmente de fé. Mas Deus não é apenas justo; ele se deleita em nos surpreender ao exceder nossas expectativas. Para recompensar a fé que assume riscos, ele oferece bênçãos inimagináveis.
>
> Charles Swindoll[3]

Quando Jim Elliot partiu para o Equador a fim de evangelizar os índios aucas, muitas pessoas o questionaram. Ele era um jovem com um futuro promissor pela frente, tinha se casado havia pouco tempo, e tinha uma filha pequena. Mas nenhum argumento foi capaz de demover o missionário, porque ele tinha certeza de sua vocação. Aos que punham em xeque a sensatez de sua escolha, Elliot costumava responder: "Não é tolo aquele que dá o que não pode guardar para ganhar aquilo que não pode perder".

Conhecido como o "Mártir do Equador", Jim Elliot não viveu para testemunhar a conversão do povo auca. Entretanto, graças a seu empenho, toda a tribo veio a aceitar a Cristo, novos jovens se apresentaram para o campo missionário, e incontáveis vidas foram edificadas. Em longo prazo, ficou claro que sua decisão havia sido correta. Muitos foram os frutos produzidos pela semente que ele lançou.

Sim, há uma recompensa para os que fazem a vontade

do Senhor. Eles abrem mão do que não podem guardar para ganhar o que não podem perder. Abraão subiu o Moriá com passos lentos, esmagado pela angústia, mas desceu de lá radiante, transbordando das graças de Deus. Não sei se o patriarca, à semelhança de Moisés, tinha a face resplandecendo quando desceu do monte. Mas tenho certeza de que todos puderam ver, em seu semblante, um brilho de felicidade. O mesmo brilho que o Senhor colocará em nosso rosto se confiarmos nele.

"Os que semeiam com lágrimas colherão com gritos de alegria. Choram enquanto lançam as sementes, mas cantam quando voltam com a colheita" (Sl 126.5-6).

12
A vitória da fé

> Pois todos vocês são filhos de Deus por meio da fé em Cristo Jesus. Todos que foram unidos com Cristo no batismo se revestiram de Cristo. Não há mais judeu nem gentio, escravo nem livre, homem nem mulher, pois todos vocês são um em Cristo Jesus. E agora que pertencem a Cristo, são verdadeiros filhos de Abraão, herdeiros dele segundo a promessa de Deus.
>
> GÁLATAS 3.26-29

No início da Segunda Guerra Mundial, Winston Churchill liderava a Grã-Bretanha na resistência às forças do regime nazista. As probabilidades pareciam estar contra os ingleses, e todos anteviam um futuro de sacrifícios e sofrimento. Ainda assim, Churchill encorajou a população a permanecer firme na luta pela liberdade.

Em um de seus inflamados pronunciamentos — que ficou conhecido como "O discurso do melhor momento" —, o primeiro-ministro lembrou a seus conterrâneos que aquela provação extrema lhes possibilitaria dar o melhor de si, conquistando uma vitória memorável. E concluiu com as seguintes palavras: "Vamos, portanto, nos unir em torno de nossos deveres. E saber que, se o Império Britânico e a Comunidade dos Estados Britânicos durarem mil anos, os homens ainda dirão: 'Aquele foi o seu melhor momento'".

Na vida de Abraão, o "melhor momento" foi, sem dúvida,

aquele no qual triunfou em Moriá. O episódio do sacrifício de Isaque assinalou o ponto mais elevado de sua jornada de fé, o degrau mais alto de sua escalada espiritual. Passados milhares de anos, a vitória alcançada pelo patriarca ainda reluz com o mesmo fulgor. E homens e mulheres de todas as partes continuam a falar sobre ela e a refletir sobre seu significado.

Abraão passou pelo fogo mais ardente e suportou as pressões mais severas para emergir em completo triunfo. Como filhos de Deus por meio da fé em Jesus Cristo, podemos obter vitórias semelhantes. O Senhor deseja que seu povo seja mais que vencedor. No reino de Deus, os sucessos alcançados são conquistas espirituais, são vitórias de fé. A fé nos mantém conectados a Cristo, de onde vem nossa força. A fé nos conduz a grandes alturas e nos coloca acima de nossas próprias limitações. É por meio da fé que vencemos as provações e vivemos os melhores momentos.

Somos descendentes espirituais de Abraão e, portanto, podemos obter triunfos como o que ele obteve. Para isso, teremos de seguir suas pegadas e utilizar as mesmas armas que ele usou. Dentre elas, a mais poderosa será a confiança em Deus. Nossa dependência do Senhor produzirá grandes transformações em nós e ao nosso redor. Ela fará de nós pessoas melhores e nos levará para junto do Pai. A vida é feita de desafios, e a vitória é feita de fé.

Quais são os benefícios que a fé proporciona àqueles que a abraçam?

Pela fé, somos justificados por Deus

A Bíblia diz que "Abrão creu no Senhor, e assim foi considerado justo" (Gn 15.6). Um dos pontos centrais do evangelho é aquele que afirma que não somos salvos por nossas obras ou merecimentos, e sim pela graça, por meio da fé. Abraão foi justificado porque creu, e o mesmo acontece conosco. Ao entregar nossa vida ao Salvador, sua justiça é colocada sobre nós. Os méritos da vida impecável de Jesus são imputados aos que confiam nele. Deus troca as vestes sujas de nossa alma pelos trajes santos de seu Filho amado. Somos revestidos de Cristo.

No livro do profeta Zacarias encontramos uma visão muito bonita que ilustra essa verdade. Deus mostrou-lhe o sumo sacerdote Josué, que estava sendo acusado por Satanás diante do anjo do Senhor. Então "o SENHOR disse a Satanás: 'Eu, o SENHOR, rejeito suas acusações, Satanás. Sim, o SENHOR, que escolheu Jerusalém, o repreende. Este homem é como uma brasa tirada do fogo'" (Zc 3.2).

Enquanto isso, "Josué continuava em pé diante do anjo, e suas roupas estavam imundas" (Zc 3.3). Aquelas roupas eram símbolo de sua condição humana natural, que era para ele (como era para nós) desfavorável. Mas o que veio em seguida foi tremendo. "O anjo disse aos que ali estavam: 'Tirem as roupas imundas dele'. E, voltando-se para Josué, disse: 'Veja, removi seus pecados, e agora lhe dou roupas de festa'" (Zc 3.4).

Assim como Abraão e Josué, todos os salvos são justificados por Deus por meio da fé. Nossos pecados foram removidos. Nossa alma foi lavada no sangue do Cordeiro. Recebemos roupas de festa. "Pois as Escrituras dizem: 'Abraão creu em Deus, e assim foi considerado justo'. O salário daquele que trabalha não é um presente, mas um direito. Contudo, ninguém é considerado justo com base em seu trabalho, mas sim por meio de sua fé em Deus, que declara justos os pecadores'" (Rm 4.3-5).

Não há como ser salvo sem ir a Cristo. Em contrapartida, não há como ir a Cristo e não ser salvo. Se pela fé entregarmos a vida ao Redentor, seremos, por ele, salvos da ira. Que verdade maravilhosa! Por meio da fé somos declarados justos. Por meio da fé nos tornamos filhos de Deus. Por meio da fé encontramos salvação.

Pela fé, herdamos as promessas de Deus

Imaginemos, por um instante, um principezinho deitado em seu berço. O menino dorme tranquilo, livre de preocupações. O que podemos dizer a respeito dessa criança? Ora, podemos afirmar que ela é possuidora de muitos bens. É dona de campos e de palácios, de títulos e de honrarias, de castelos e de tesouros. E o que o menino fez para ter tudo isso? Absolutamente nada. Ele não conquistou sua fortuna no campo de batalha, nem se destacou dos demais como líder. Seus bens lhe pertencem por direito de nascimento. Ele é o herdeiro. Ele é o filho do rei.

O mesmo acontece conosco. Quando, pela fé, entregamos a vida a Cristo, nascemos de novo. E esse novo nascimento traz consigo uma herança. Ao ingressar na família de Deus, nós nos tornamos donatários de suas promessas. Riquezas espirituais nos são concedidas sem que tenhamos feito nada para merecê-las. É nossa nova condição que produz essa mudança. Agora, somos herdeiros de Deus. Agora, somos filhos do Rei.

A Bíblia diz que os que pertencem a Cristo são descendentes de Abraão e herdeiros das promessas que ele recebeu. Ela também afirma que essa herança acompanhou as gerações que seguiram o patriarca acreditando que as riquezas celestes eram melhores que as terrenas. Porque Abraão, "mesmo quando chegou à terra que lhe havia sido prometida, viveu ali pela fé, pois era como estrangeiro, morando em tendas. Assim também fizeram Isaque e Jacó, que herdaram a mesma promessa. Abraão esperava confiantemente pela cidade de alicerces eternos, planejada e construída por Deus" (Hb 11.9-10).

Abraão não saiu perdendo quando trocou Ur por Canaã, porque, na verdade, seu destino último era a Jerusalém celestial. E ainda que seus vizinhos cananeus pudessem não dar muita coisa por ele e seus descendentes (afinal, eles eram peregrinos e viviam em tendas), estavam diante daqueles que se tornariam os futuros proprietários de toda a região. O mesmo acontece, muitas vezes, com o povo de Deus nos dias de hoje. Olhares humanos talvez não nos atribuam grande importância. Entretanto, marchamos para o céu e colecionamos vitórias pelo caminho.

Precisamos olhar para nós mesmos e para as circunstâncias com os olhos da fé. Apesar das limitações e dificuldades, somos herdeiros das promessas, porque Deus nos adotou como seus filhos. E por causa disso, "agora nós o chamamos 'Aba, Pai', pois o seu Espírito confirma a nosso espírito que somos filhos de Deus. Se somos seus filhos, então somos seus herdeiros e, portanto, co-herdeiros com Cristo. Se de fato participamos de seu sofrimento, participaremos também de sua glória" (Rm 8.15-17).

A fé nos ajuda a fazer as melhores escolhas

Todos os dias, milhares de pessoas arruínam a vida por tomarem decisões ruins. Infelizmente, há sempre mais jeitos errados que certos de fazer algo. Quando nos deixamos levar pelo medo, pelas paixões, pela mágoa, pela ganância e coisas semelhantes, fazemos escolhas equivocadas. Com o tempo, as consequências dessas escolhas vão se acumulando e passam a complicar nossa vida. E a menos que corrijamos o rumo, elas virão a selar nosso destino.

Aquele que foi chamado de "Amigo de Deus" tomou algumas decisões erradas. Sempre que isso aconteceu, o motivo foi o mesmo: falta de fé. Houve momentos em que Abraão duvidou que o Senhor pudesse sustentá-lo ou protegê-lo, e tentou resolver as coisas a seu modo. Logicamente, essa precipitação teve seu preço. E nós pagamos o mesmo preço sempre que, duvidando das promessas divinas, nos deixamos conduzir pela carne, e não pelo Espírito.

Todas as vezes que precisarmos fazer uma escolha, será útil perguntar-nos: Essa decisão vem da fé? Se Abraão tivesse se questionado desse modo, não teria descido para o Egito, não teria gerado um filho de uma escrava e não teria negado que Sara era sua mulher. Em contrapartida, as melhores escolhas do patriarca foram inspiradas pela confiança em Deus. Ele atendeu ao chamado para deixar sua terra, perseguiu exércitos invasores, aguardou pelo nascimento do filho e até se dispôs a sacrificá-lo. Abraão fez coisas que muitos não teriam coragem de fazer. Suas melhores decisões foram tomadas quando ele teve fé.

Se tivermos fé, faremos as melhores escolhas. Talvez elas não pareçam as mais vantajosas aos olhos dos que nos cercam. Entretanto, dos peregrinos celestiais se espera ousadia e dependência do Senhor. Isso marcou a vida de Abraão e de outros personagens das Escrituras. Comentando as escolhas feitas por Moisés, o autor de Hebreus escreveu: "Pela fé Moisés, já adulto, recusou ser chamado filho da filha do faraó, preferindo ser maltratado junto com o povo de Deus a aproveitar os prazeres transitórios do pecado. Considerou melhor sofrer por causa do Cristo do que possuir os tesouros do Egito, pois tinha em vista sua grande recompensa" (Hb 11.24-26). Moisés, Abraão e os demais heróis das Escrituras Sagradas tomaram suas melhores decisões quando tiveram fé. O mesmo acontecerá conosco.

Talvez sejamos levados a pensar: "Bem, eu não tenho a estatura espiritual de Abraão ou de Moisés". Mas não devemos imaginar que viver pela fé seja um padrão alto demais para atingirmos. A Bíblia é um livro real, que registra experiências de indivíduos de carne e osso. "As maiores e mais significativas figuras da fé foram moldadas do mesmo barro que nós", escreveu Eugene Peterson. Foram pessoas sujeitas às mesmas paixões. Contudo, decidiram crer no Senhor, e basearam suas escolhas nessa decisão. Façamos o mesmo, e não nos arrependeremos.

A fé nos ajuda a manter a melhor atitude

"A paciência não é a habilidade de esperar, mas a habilidade de manter uma boa atitude enquanto se espera", afirmou Joyce Meyer. As promessas do Onipotente têm dia e hora para se cumprir. Então, como lidaremos com esse fato? Depois de havermos tomado a decisão de confiar, comumente somos submetidos a um período de espera antes de contemplar o resultado de nossa escolha. Esse hiato pode se revelar bastante desafiador. Por causa da aparente demora dos céus muitos murmuram e desanimam, e alguns chegam a desistir.

A fé é aquilo que nos ajuda a manter a melhor atitude. Ela sustentou Abraão nos longos anos em que esperou pelo nascimento de seu herdeiro. Ela o amparou nos dias angustiosos em que caminhou de Berseba a Moriá. Precisamos pedir a Deus que nos dê fé para permanecer firmes. Não se trata apenas de esperar, mas de aguardar confiadamente.

Conheci pessoas que, após terem orado ou mudado de vida por um tempo, disseram: "Deus, tentei as coisas do seu modo e nada aconteceu, e por isso voltarei a fazer tudo do meu jeito". Gente que age assim rouba bênçãos de si mesma por falta de persistência. A Bíblia nos diz: "Vocês precisam perseverar, a fim de que, depois de terem feito a vontade de Deus, recebam tudo que ele lhes prometeu. 'Pois em breve virá aquele que está para vir; não se atrasará. Meu justo viverá pela fé; se ele se afastar, porém, não me agradarei dele'" (Hb 10.36-38).

Peçamos a Deus que nos dê a fé necessária para não nos afastarmos dele ou de sua vontade. É por causa da fé que aguentamos firmes. É por causa da fé que esperamos no Senhor. E também é por causa da fé que, enquanto aguardamos, louvamos em vez de murmurar, agradecemos em vez de reclamar e nos mantemos confiantes em vez de nos tornar pessimistas. A fé nos transforma em pessoas melhores. A fé nos ajuda a ter a melhor atitude.

Deus é o Criador do tempo e trabalha por meio dele. Os habitantes do Oriente Médio apreciam as tamareiras por causa da abundância e da doçura de seus frutos. Em condições normais, porém, uma tamareira leva até setenta anos para começar a frutificar. Mesmo assim, os orientais não deixam de plantar essas árvores. Eles sabem que, no devido tempo, as tâmaras virão. Além disso, enquanto as palmeiras não frutificam, oferecem sombra e proteção, e embelezam o cenário. Bem podemos nos inspirar no exemplo das tamareiras. Aguardemos, confiantemente, a estação dos frutos. E enquanto eles não chegam, prossigamos adorando a Deus, abençoando o próximo e fazendo do mundo um lugar melhor.

A fé nos leva a uma vida abundante

O Senhor Jesus prometeu: "Eu vim para lhes dar vida, uma vida plena que satisfaz" (Jo 10.10). Um dos benefícios que a fé em Deus nos proporciona é que, por meio dela, desfrutamos uma vida abundante. Realizamos todo nosso potencial e até mesmo o excedemos. Passamos por experiências formidáveis e deixamos contribuições significativas. Vivemos em plenitude.

Abraão poderia ter sido apenas um obscuro habitante da Mesopotâmia. Entretanto, por haver crido em Deus, viveu aventuras incríveis e deixou seu nome registrado na história. O mesmo aconteceu com Moisés, com Davi, com Maria e com tantos outros. Ao longo dos séculos, homens e mulheres de fé entregaram a vida ao Senhor e descobriram que ele era capaz de realizar grandes coisas nelas e através delas. Eles viveram sua vida ao máximo.

Infelizmente, isso não pode ser dito da maioria dos seres humanos. Há muitos que tentam guardar a vida e acabam por perdê-la. Existem duas maneiras de as pessoas desperdiçarem sua passagem por este mundo, e ambas estão relacionadas à falta de fé. No primeiro caso, rejeitam a autoridade de Deus por não acreditar que seja o ideal para elas, e terminam pagando o salário do pecado. No segundo, deixam de aceitar os desafios de Deus por não crer que sejam viáveis, e acabam perdendo as bênçãos que o Senhor lhes reservara.

Em ambas as situações, sua vida se torna menor — e pior — do que poderia ser.

Uma vida marcada pela confiança em Deus é uma vida vivida em plenitude. Naturalmente, uma jornada de fé tem suas exigências. Ela não está isenta de sobressaltos e dissabores. Em algum momento poderemos nos ver no corredor de um hospital, na cena de um acidente ou na sala de um tribunal. Coisas assim podem acontecer com qualquer um. A diferença é que o cristão não passa por nada sozinho. Nunca haverá lugar ou situação em que Deus não o acompanhe. O Senhor estará com ele todos os dias. E é por isso que ele será mais do que vencedor.

Deus disse aos israelitas: "Pensem em Abraão, seu antepassado, e em Sara, que deu à luz sua nação. Abraão era apenas um quando eu o chamei, mas o abençoei e o tornei uma grande nação" (Is 51.2). Que obra admirável o Senhor realizou na vida daquele casal! Assim como abençoou os passos de Abraão e de Sara, o Criador deseja nos abençoar. Ele quer nos erguer às alturas de uma vida abundante. Esta é uma verdade incontestável: a falta de fé pode nos levar ao desperdício de nossos anos, mas se confiarmos em Deus eles serão aproveitados ao máximo. É dentro da vontade de Deus que nos realizamos. É atendendo a seu chamado que vivemos plenamente.

A fé nos leva a um final feliz

Os últimos instantes de Abraão estão registrados em Gênesis 25. Ali somos informados de que "Abraão viveu 175 anos e morreu em boa velhice, depois de uma vida longa e feliz. Deu o último suspiro e, ao morrer, reuniu-se a seus antepassados" (Gn 25.7-8). Penso que não poderia haver melhor conclusão para a história do patriarca. Depois de passar pelo teste de Moriá, aquele servo do Senhor desfrutou anos tranquilos no convívio de seus familiares. Quando finalmente chegou sua hora, Deus o levou para junto de si. O "Pai da fé" morreu em idade avançada, tendo vivido grandes experiências e realizado belos sonhos. Quando partiu, tinha um sorriso no rosto, e paz no coração.

Um final feliz não é coisa de conto de fadas. É algo real, é algo que está a nosso alcance. Estamos semeando hoje a colheita de amanhã, e quando atendemos ao chamado para andar com Deus nos colocamos no rumo de uma conclusão abençoada. O Senhor tem o melhor para nós, tanto aqui quanto na eternidade. Por isso é importante que não olhemos para trás, que permaneçamos firmes em nosso propósito. Muitos ídolos populares brilham por algum tempo para depois chegar a um fim melancólico. Os justos, pelo contrário, refulgem como as estrelas.

Matthew Henry foi um pastor inglês que viveu no século 18. Considerado um dos maiores expositores bíblicos de todos os tempos, seus livros e comentários são lidos, ainda hoje, por muitos cristãos. Conta-se que quando ele estava noivo os pais de sua futura esposa tentaram dissuadi-la do casamento. Eles estavam preocupados porque ela vinha de berço nobre, ao passo que Henry era de família simples. A mãe da moça chegou a dizer-lhe: "Minha filha, pense bem, você não sabe de onde vem esse rapaz". Mas ela respondeu com convicção: "Não me importa saber de onde ele vem, e sim para onde ele vai".

Para onde vamos? No fim das contas, é isso o que importa, não é mesmo? Jamais encontraremos um final feliz fora da vontade de Deus, por mais sedutoras que as propostas terrenas possam parecer. Jesus Cristo deixou isso claro quando afirmou que de nada vale ganhar o mundo e perder a alma (Mc 8.36). A fé nos leva a um final feliz porque nos direciona para o Mestre, sua presença e seu galardão. O Salvador prometeu que se fôssemos fieis até a morte receberíamos a coroa da vida (Ap 2.10).

Assim como Abraão, aqueles que caminham com Deus dirigem-se para um final feliz. Têm a satisfação de olhar para trás e ver que nada foi em vão. Ceifam gratidão e respeito por aquilo que semearam. Inspiram as gerações mais novas e deixam um legado de honra. Não são consumidos por arrependimentos ou remorsos. Chegam ao fim da jornada como verdadeiros vencedores. E fecham os olhos na terra para abri-los no céu.

***

A história de Abraão foi uma história de vitórias porque ele foi um homem de fé. Mesmo quando enfrentou a provação mais severa, ele reafirmou sua confiança no Todo-poderoso. Sua fé passou por um grande teste e foi submetida a incríveis pressões, mas nem por isso se desfez. Pelo contrário, enrijeceu-se, galvanizou-se, tornou-se mais sólida e brilhou com maior intensidade. Através da experiência daquele servo de Deus aprendemos que os desafios não nos sobrevêm a fim de destruir-nos, e sim para moldar-nos.

Os maiores triunfos de fé são alcançados nos instantes em que eles se mostram menos prováveis. Há momentos em que a vitória não parece possível. Há momentos em que nem mesmo acreditar parece possível! Mas é quando é mais difícil confiar em Deus que isso se torna mais necessário. A fé purifica a alma, transforma as circunstâncias e glorifica o Senhor.

> Nem sempre é fácil confiar em Deus. As situações contrárias que envolvem nossas vidas geram medo e tentam apagar nossa fé. Mas a confiança em Deus nos faz dar passos de ousadia e acreditar no que mais ninguém pode. Literalmente, a confiança em Deus nos faz caminhar no sobrenatural e quebrar a impossibilidade. Não tenha medo de confiar quando tudo à sua volta parecer negar a sua vitória. Os que confiam no Senhor sempre terão a sua ajuda e serão vitoriosos no dia da aflição.
>
> Gary Haynes[1]

A fé em Deus é o fator que viabiliza as grandes vitórias. É por meio da fé que somos justificados e nos tornamos herdeiros das promessas. A fé nos ajuda a fazer as melhores escolhas e a conservar a melhor atitude. A fé nos leva a uma vida abundante e a um final feliz.

Por muito tempo, o Estreito de Gibraltar, localizado no que hoje é o sul da Espanha, foi considerado o fim do mundo. Além daquela faixa que separava a África da Europa estendiam-se águas misteriosas que os antigos não ousavam navegar. Eles acreditavam que, se fossem adiante, chegariam à borda do planeta e despencariam no infinito. Por isso, os moradores da região escreveram em monumentos e moedas a frase *"non plus ultra"*, que, em latim, significa "não mais além". Aquele era um limite que todos precisariam observar.

Contudo, ao chegar a era das navegações, os espanhóis ergueram os olhos em direção ao Atlântico, acreditando que aquele limite poderia ser transposto. Eles começaram a construir navios cada vez maiores, a aperfeiçoar técnicas de navegação e a empreender grandes viagens. Com isso, todo um novo mundo foi descoberto, trazendo um despertar para a civilização. E a frase *"non plus ultra"* foi substituída por *"plus ultra"*, que significa "mais além". Esse novo lema inspirou os descobridores, e se acha, até hoje, inscrito na bandeira da Espanha.

O Senhor é aquele que nos leva até onde não parece ser possível, até onde nossas forças não alcançam, até onde nossos sonhos mais otimistas não chegam. Ele é aquele que nos leva mais além. Todas as limitações são nossas, e todo o poder é dele. Por isso, vale a pena servir ao Senhor. Quando cremos em Deus, adentramos um caminho de vitórias. Quando buscamos a Cristo, recebemos sua direção e sua força. Quando confiamos no Senhor, nossas horas mais angustiantes são transformadas, por ele, em nossos melhores momentos.

Conclusão

Normalmente, o primeiro efeito que as provações exercem sobre nós é fazer-nos sentir vulneráveis. Em alguns casos chegamos perto do desespero, ou, até mesmo, do pânico. É compreensível que seja assim. Nosso instinto de sobrevivência nos leva a buscar segurança naquilo que nos é familiar, evitando correr riscos de qualquer espécie. Mas precisamos nos lembrar que os testes visam, exatamente, nos tirar desse lugar de conforto.

Portanto, enfrentemos os desafios com esperança e coragem. Ainda que o primeiro efeito das provações sobre nós seja o de deixar-nos apreensivos, esse não é o único efeito. Através das provas o Senhor nos leva a um relacionamento mais íntimo com ele. Deus se vale das situações para enrijecer nosso caráter, aumentar nossa fé e testemunhar de sua graça. "É correto nos contentarmos com o que temos, mas nunca com o que somos", escreveu James Mackintosh. Nosso Pai celestial está nos moldando como o oleiro faz com o barro.

Ao encerrar nossas reflexões sobre a história de Abraão, damo-nos conta de que o patriarca saiu da prova um homem maior do que era ao entrar nela. Além disso, por meio de sua experiência uma profecia dramatizada nos foi concedida, apontando para o Cordeiro de Deus que tira o pecado do mundo. Nosso Criador proveu — e proverá — aquilo que nos é necessário. Podemos segurar na mão que ele nos estende e avançar com determinação.

"Lembrem-se disto: estou sempre com vocês, até o fim dos

tempos", disse Jesus (Mt 28.20). Nossa segurança se baseia no fato de que aquele que prometeu é fiel. Temos sido sustentados por Cristo e seu amor, mesmo nas horas difíceis. Sua presença nos conforta, restaura e encoraja. Não existe trecho da jornada espiritual em que sejamos abandonados ou no qual precisemos caminhar sozinhos. Nosso Redentor nos acompanha e nos ajuda.

**Pois eu sei que jamais eu provado serei
Além do que eu possa suportar.
E se ainda eu cair e pensar que é o fim,
Jesus me ergue e segue junto a mim.**

Grupo Logos[1]

Quando a nossa fé é provada, descobrimos que a vida é difícil, e que Deus é bom. Essas são descobertas ainda mais importantes do que os achados dos grandes exploradores. São marcas que passamos a carregar como guerreiros experimentados nas lutas. São aventuras que vivemos ao lado de nosso amado Salvador enquanto caminhamos para a eternidade. São lições que aprendemos para compartilhar com as pessoas e auxiliá-las em suas necessidades.

Assim como Abraão, podemos tomar a decisão de depositar no Senhor nossa confiança. Podemos atender ao chamado de Deus para andar com ele, enfrentando as provas com a disposição de atender a sua voz. Essa resolução não nos colocará no caminho mais fácil ou mais curto. Entretanto, trará os melhores resultados. "Todos os que creem participam da mesma bênção que Abraão recebeu por crer", diz a Bíblia (Gl 3.9).

Se confiarmos no Senhor, seremos abençoados. Se fizermos sua vontade, seremos vencedores.

Notas

1. Chamados para andar com Deus
[1] Myrtes Mathias, *Há um Deus em tua vida*, 3ª edição (Rio de Janeiro: Juerp, 1986), p. 32.

[2] Paschoal Piragine Júnior, *O líder espiritual* (Curitiba: Águas Profundas, 2021), p. 63.

[1] Charles Swindoll. *Abraão: Um homem obediente e destemido* (São Paulo, Mundo Cristão, 2015), p. 36.

2. Passando por provas
[2] Charles Spurgeon, *Dia a dia com Spurgeon: Manhã e noite* (Curitiba: Publicações Pão Diário, 2017), p. 505.

3. Edificando altares
[1] Autor desconhecido, "Fervente oração", *Harpa Cristã*, hino 577.

[2] Pedro Valério, *Está consumado: O brado que mudou o rumo da humanidade* (Vila Velha, ES: Above Publicações, 2014), p. 68.

4. Uma ordem desconcertante
[1] F. B. Meyer, *Comentário bíblico devocional: Velho Testamento* (Belo Horizonte: Betânia, 1993), p. 23.

5. Uma resposta de fé
[1] Søren Kierkegaard, *Temor e tremor* (São Paulo: Abril Cultural, 1979), p. 110.

[2] Agostinho de Hipona, *A cidade de Deus* (Lisboa: Fundação Calouste Gulbenkian, 2000), p. 32.

6. Três dias silenciosos
[1] Hernandes Dias Lopes, *Bíblia pregação expositiva* (São Paulo: Hagnos, 2020), p. 26.

²Comunidade Evangélica Internacional da Zona Sul, "Rompendo em fé", *Rompendo em fé* (Rio de Janeiro, MK Music, 1998).

7. Subindo o Moriá
¹ J. D. Douglas, *O novo dicionário da Bíblia* (São Paulo: Vida Nova, 1983), p. 1073.

² Citado em Russell P. Sheed, *Lei, graça e santificação* (São Paulo: Vida Nova, 1998), p. 79.

8. "Onde está o cordeiro?"
¹ Clifton J. Allen, *Comentário bíblico Broadman*, vol. 1. (Rio de Janeiro: Juerp, 1987), p. 250.

9. Tudo no altar
¹ Antônio Neves de Mesquita, *Estudo no livro de Gênesis* (Rio de Janeiro: Juerp, 1979), p. 223.

² Trazendo a Arca, "Entre a fé e a razão", *Entre a fé e a razão* (Rio de Janeiro: Graça Music, 2010).

10. "Deus proverá"
¹ R. N. Champlin, *O Antigo Testamento interpretado versículo por versículo*, vol. 1. (São Paulo: Candeia, 2000), p. 156.

11. As recompensas da obediência
¹ B. H. Carroll, *El libro de Genesis* (El Paso: Casa Bautista de Publicaciones, 1964), p. 358.

² Exército de Salvação — Portugal, "Nosso fundador: William Booth", <http://www.exercitodesalvacao.pt/index.php/fundador>.

³ Charles Swindoll, *Abraão: Um homem obediente e destemido* (São Paulo, Mundo Cristão, 2015), p. 222.

12. A vitória da fé
¹ Gary Haynes, *Manual bíblico de promessas* (Belo Horizonte: Atos, 2010), p. 399.

Conclusão
¹ Grupo Logos, "Situações", *Situações* (Goiânia: Logos, 1984).

Sobre o autor

Marcelo Rodrigues de Aguiar é pastor da Igreja Batista em Mata da Praia, em Vitória, Espírito Santo. É formado em Teologia pelo Seminário Teológico Batista do Sul do Brasil e em Psicologia pela Universidade Federal do Espírito Santo. Pela Mundo Cristão, publicou a obra *O espinho na carne e a graça de Deus*. É casado com Rosi L. R. de Aguiar e pai das gêmeas Amanda e Beatriz.

Do mesmo autor:

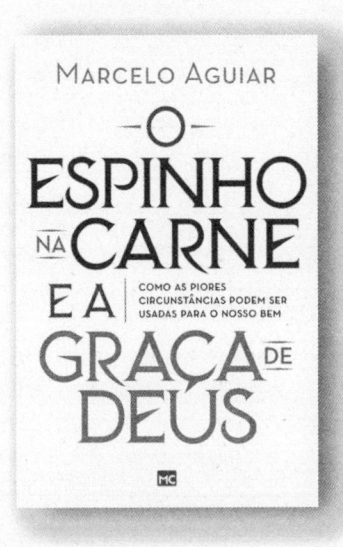

Poucas coisas na vida são mais desagradáveis e indesejáveis do que a dor e o sofrimento. Contudo, por mais que a autoajuda barata e eventuais mensagens antibíblicas erroneamente possam afirmar o contrário, precisamos aprender a lidar com as adversidades, inspirando-nos na trajetória de homens e mulheres que ao longo da Bíblia encontraram em Deus a força que lhes faltava. Afinal, uma situação ruim sempre pode trazer ou nos ensinar algo de bom.

Com longa e proveitosa experiência no trato pastoral, Marcelo Aguiar aponta que o sofrimento pode se converter em um aliado precioso para o crescimento e nos trazer à memória a surpreendente declaração de Paulo sobre o seu "espinho na carne". Longe de ser um impeditivo para o apóstolo, suas dificuldades o tornaram mais forte e obstinado para alcançar os objetivos de sua missão, que nos impacta até hoje.